Christian CANTIN

GUIDE PRATIQUE DES FROMAGES

SOLAR
© Solar, 1978

Mimolette

Cantal

Edam
français

Paulin

Reblochon

I. — INTRODUCTION

Je ne prétends pas être écrivain, mais je suis sûr d'être un connaisseur en fromage. Un amateur et un consommateur aussi, comme vous, comme des millions de Français gourmands de cet aliment essentiel à tous les âges. Oui, essentiel, et c'est là un point sur lequel je reviendrai en détail.

Donc j'aime et je connais le fromage. Vous l'aimez aussi, mais le connaissez-vous vraiment ? Bien sûr, quand il est dans votre assiette vous savez en apprécier la saveur et faire la différence entre le bon, le mauvais ou le médiocre. Or, mon désir, en écrivant ce livre, est de vous permettre de présenter « à coup sûr » sur votre table les meilleurs fromages en vous apprenant à les bien choisir. Et pour cela, je vais mettre dans ces pages toute mon expérience (longue de trente années) de maître fromager à votre service.

Laissez-moi, pour commencer, vous rappeler ce que nul n'ignore : le fromage est un aliment obtenu par la fermentation du lait caillé, lait de vache, de brebis ou de chèvre. Le caillage du lait se fait par l'addition de présure, tout comme le font de nombreuses maîtresses de maison chez elles, à la campagne surtout. La suite des opérations se complique et surtout se diversifie selon le résultat que l'on veut obtenir. Résumons-les : au moulage, qui donne au fromage sa forme, aux lavages et frottages avec de l'eau salée ou parfois du vin, de la bière ou même de l'alcool régional, à l'égouttage et au séchage, et enfin à l'affinage. Ce dernier stade est extrêmement important car de lui dépend la qualité du produit : le fromage est placé dans une cave où règnent une température et une humidité bien déterminées pour chaque type de pâte ; il y « mûrit » à la façon dont le vin se bonifie en cave, et cela pendant un temps très variable ; ainsi il faut deux à trois semaines pour un camembert et six mois pour le beaufort. Cet affinage a lieu chez les producteurs de fromages, industriels ou fermiers, mais il peut être poursuivi par le commerçant soucieux d'offrir des produits parfaitement à point pour la consommation. Ces commerçants ajoutent à leur dénomination de fromager celle d'affineur. C'est mon cas et « j'élève » des milliers de fromages chaque année dans mes caves spécialement aménagées où les marchandises sont emmagasinées, débarrassées de leurs emballages, puis surveillées, retournées, aérées, manipulées jour après jour. Ces soins, cette surveillance donnent les meilleurs résultats.

Rares sont les crémiers et les grandes surfaces qui disposent de caves d'affinage où les produits sont « soignés » jusqu'au moment où ils sont parfaits pour la consommation. Alors, devenez affineur vous-même : achetez le fromage tel qu'il vous est proposé et placez-le dans une boîte en plastique que vous mettrez dans le bac à légumes de votre réfrigérateur. Retournez-le deux ou trois fois dans la semaine. Vous jugerez au toucher, par sa souplesse sous votre doigt, qu'il est prêt à être dégusté.

Vous trouverez dans ce livre une fiche sur les fromages français que l'on trouve dans le commerce avec mes conseils pour les choisir sans vous tromper.

J'en arrive maintenant à la classification des fromages.

Il en existe plus de 300. Difficile de donner un chiffre exact car certaines productions fermières disparaissent au fur et à mesure que se dépeuplent nos campagnes. J'ai sélectionné dans ce livre ceux qui sont couramment en vente en France. Bref, qu'ils soient 300 ou 700, comme le prétendent certains (à tort à mon avis), les fromages sont classés en cinq grandes familles : les pâtes fraîches, les pâtes fondues, les pâtes sèches, les pâtes molles, les pâtes persillées. Tout un chapitre de ce livre est consacré à ces familles auxquelles j'ajouterai celle des fromages de chèvre pour lesquels bien des Français ont une tendresse particulière, et les laits fermentés, plus connus sous le nom de yaourts ou yoghourts.

II. — LES GRANDES FAMILLES DE FROMAGES

LES FROMAGES FRAIS

Ce sont des fromages à égouttage lent, n'ayant subi que la fermentation lactique, obtenus à partir de laits sélectionnés, standardisés, ou de crèmes.

Les laits et crèmes destinés à leur fabrication doivent être pasteurisés.

Les principaux types de fromages frais.

LE CARRÉ DEMI-SEL dit « fromage blanc » fabriqué avec du lait de vache emprésuré, à pâte homogène, ferme, salée (2 % environ). Il contient au moins *40 % de matière grasse* pour 100 grammes de fromage après complète dessication. Un demi-sel pèse environ 110 grammes.

LE SUISSE est un fromage frais, enveloppé, à pâte homogène non salée, de forme cylindrique, fabriqué avec du lait de vache emprésuré et additionné de la quantité de crème nécessaire pour qu'il renferme *60 % de matière grasse* après complète dessication. La crème ajoutée au lait caillé doit être pasteurisée. Le « caillé » renfermera au moins 40 % de matière grasse. Un suisse pèse environ 60 grammes. Ce fromage est plus communément proposé à la consommation sous forme de demi-suisse ou petit-suisse dont le poids est de 30 grammes. Il existe aussi des suisses à *40 % de matière grasse.*

LE DOUBLE-CRÈME est un fromage frais devant contenir un minimum de 60 % de matière grasse. Il est commercialisé sous différentes marques.

LE TRIPLE-CRÈME doit contenir un minimum de 70 % de matière grasse. Il est commercialisé sous différentes marques.

Les fromages frais divers et leur étiquetage.

Ces fromages connaissent actuellement un développement considérable.

Certains fromages frais dont la forme imite celle des suisses ou petits suisses sans avoir leur teneur en matière grasse (par exemple 40 % ou 30 % seulement) sont étiquetés de façon différente. Ils portent obligatoirement une bande bleu foncé avec mention du taux de matière grasse.

Les fromages frais maigres (0 % de matière grasse) portent une bande de couleur bleu foncé sur laquelle est imprimée (en caractères blancs) la mention « 0 % de matière grasse », l'indication « + de 82 % d'eau », et le qualificatif « maigre ».

Les fromages frais non définis contenant moins de 18 % de matière sèche doivent obligatoirement porter sur la bande bleue la mention « contient plus de 82 % d'eau ». Le lieu de fabrication indiqué est celui de la laiterie qui a procédé à la fabrication de la pâte. S'il s'agit, par exemple, d'un mélange de pâte à 40 % de matière grasse et de crème fabriquée dans une autre laiterie, l'étiquette peut porter mention de deux établissements.

Les fromages frais fermiers sont fabriqués à la ferme. Ils portent obligatoirement la mention « fromage frais fermier ». Il est admis que le pourcentage de matière grasse ne soit pas mentionné.

A noter que les fromages frais à faible teneur en matière grasse ne sont pas moins riches en protéines que les autres.

LES FROMAGES FERMENTÉS A PATE PRESSÉE

Les fromages fermentés à pâte pressée sont des fromages ayant subi, indépendamment de la fermentation lactique, d'autres fermentations. L'égouttage, au lieu de s'opérer naturellement (comme pour les pâtes molles), se fait par pression mécanique. D'où le nom de pâte pressée.

Il y a deux grandes catégories de fromages à pâte pressée : les fromages à pâte pressée *non cuite,* et ceux à pâte pressée *cuite.*

LES FROMAGES PRINCIPAUX A PATE PRESSÉE NON CUITE

Ce sont :

LE CANTAL (ou fourme de Cantal), le plus ancien des fromages français, produit en Auvergne depuis 2 000 ans.

Le cantal est fabriqué avec du lait de vache emprésuré ; la pâte est deux fois pressée, elle est ferme et salée, d'un goût relevé. Fromage à croûte séchée, le cantal a la forme de gros cylindres dont les dimensions sont variables.

L'appellation « cantal » est une appellation d'origine ; l'aire de production est légalement délimitée. Le cantal contient au minimum 45 % de matière grasse et 45 % de matière sèche.

LE REBLOCHON, fromage des hauts de Savoie, fabriqué avec du lait de vache emprésuré. La pâte est molle, grasse, légèrement salée, au délicieux goût de noisette, affinée avec lavage de la croûte dont la couleur va du rose pâle au jaune safran. Le reblochon contient au minimum 45 % de M.G. et 45 % de matière sèche.

LE SAINT-PAULIN, fabriqué un peu partout en France. Sa pâte demi-molle homogène a une saveur douce et subtile. Fromage à croûte lavée, il a la forme d'une petite meule de 20 centimètres de diamètre. Il contient au minimum 40 % de M.G. et 44 % de matière sèche.

C'est un fromage d'excellente conservation.

LE SAINT-NECTAIRE, fromage ancien du Puy-de-Dôme, bénéficie de l'appellation d'origine. Sa pâte est riche, onctueuse. Sa croûte présente des moisissures blanches, jaunes et rouges. Il est de forme circulaire.

L'EDAM FRANÇAIS, de forme sphérique. Sa croûte est recouverte de paraffine rouge ou jaune, sa pâte est jaune. Il contient au minimum 46 % à 48 % de M.G. et 55 % de matière sèche.

LE GOUDA FRANÇAIS dont la pâte est couleur jaune paille. De forme sphérique aplatie, il contient au minimum 48 % de M.G. (fabriqué en laiterie), 46 % (fabriqué avec du lait entier), et 55 % de matière sèche (baby gouda).

Il existe d'autres fromages à pâte pressée non cuite, non définis par la législation tels que fromage des Pyrénées, morbier, savaron, tomme, etc.

LES FROMAGES A PATE PRESSÉE CUITE

La fabrication des fromages à pâte pressée cuite diffère de celle des pâtes pressées non cuites sur deux points essentiels :

1) le caillé, après avoir subi une préparation spéciale, *cuit dans le sérum* à température modérée ;

2) l'affinage est plus ou moins long, mais jamais inférieur à 45 jours ; il peut atteindre 6 mois et plus.

Le plus représentatif de cette catégorie est le gruyère.

LE GRUYÈRE : il a une définition légale. Cependant communément ce nom recouvre trois types de fromage.

Les trois variétés de gruyère français.

L'EMMENTAL doit son nom à une vallée des Alpes bernoises. Il est fabriqué en France dans les Savoies, la Franche-Comté et aux lisières de la Bourgogne, ainsi que dans le Sud-Ouest. Il n'est pas protégé géographiquement. Il a les mêmes caractéristiques que le gruyère mais les dimensions des « ouvertures » ou trous, qui dépendent des conditions d'affinage, se situent entre la grosseur d'une cerise et celle d'une noix. Le talon est bombé. Le poids d'une meule varie de 60 à 130 kilos. Il contient au minimum 45 % de M.G. et 62 % de matière sèche.

LE COMTÉ (ou gruyère de Comté) est fabriqué en Franche-Comté. Il bénéficie d'une appellation d'origine. Les ouvertures atteignent la dimension d'une petite cerise. Le talon est bombé. Le poids varie entre 20 et 55 kilos. Il contient au minimum 45 % de M.G. et 62 % de matière sèche. Sur sa croûte solide, rugueuse, de couleur dorée à brun, traitée par frottage humide, se développe une microflore dont les enzymes passent dans la pâte et interviennent dans la formation du goût caractéristique de ce fromage. La pâte est souple, fondante, sa saveur prononcée et fine. C'est, au dire des connaisseurs, le bon « cru » du gruyère.

LE BEAUFORT est un fromage typiquement savoyard. Il se distingue des autres gruyères par l'absence de trous, due au fait que sa pâte est affinée en cave froide. Le talon du beaufort est concave.

Le marquage des gruyères.

L'emmental, le gruyère, le beaufort sont marqués en rouge, le comté en vert. Au-dessus de la dénomination figure le mot « France », en-dessous la teneur en matière grasse « X % M.G. ». Les fromages portent, en outre, l'indication numérique du mois de fabrication (de « 1 » pour janvier à « 12 » pour décembre).

LES FROMAGES A PATE MOLLE

Les fromages à pâte molle sont des fromages ayant subi, outre la fermentation lactique, d'autres fermentations. Ils sont affinés, la pâte n'est NI CUITE NI PRESSÉE et, le cas échéant, peuvent comporter des moisissures internes.

Comment lire le pourcentage de matière grasse ?

La mention du pourcentage en matière grasse qui figure sur l'emballage, par exemple : « 40 % de matière grasse », ne signifie pas que 100 grammes de fromage contiennent 40 grammes de matière grasse, mais que 100 grammes de matière sèche obtenue après élimination de l'eau contiennent 40 grammes de matière grasse.

Quels sont les fromages définis à pâte molle ?

a) LES FROMAGES A « CROUTE FLEURIE »

Leur croûte a un aspect duveté caractéristique. Citons les principaux : LE BRIE, fabriqué exclusivement avec du lait de vache emprésuré à égouttage spontané du caillé. La pâte est légèrement salée, à moisissures superficielles. Il renferme 40 % de matière grasse (minimum).

LE CAMEMBERT. Il se présente sous la forme d'un cylindre plat de 10,5 à 11 centimètres de diamètre. Il renferme 40 % de matière grasse.

Un étiquetage de garantie : ce fromage n'est pas protégé par une appellation d'origine, mais le Syndicat des fabricants du « véritable camembert de Normandie » permet de faire figurer sur les étiquettes de ses adhérents le sigle du Syndicat du V.C.N. Les camemberts doivent alors être dûment contrôlés et répondre aux conditions suivantes : matière grasse, 45 % sur matière sèche — matière sèche, 115 grammes par fromage —, fabrication à partir de laits sélectionnés, collectés dans l'aire géographique correspondant à l'ancien duché de Normandie.

LE COULOMMIERS, de même fabrication et apparence que le brie, auquel son goût s'apparente lorsqu'il est affiné, a la forme d'un cylindre plat de 12,5 à 15 centimètres de diamètre. La teneur en matière grasse est de 40 % (minimum).

b) LES FROMAGES « A CROUTE LAVÉE »

LE MAROILLES (ou *marolle*). Il est fabriqué exclusivement avec du lait de vache emprésuré ; sa croûte est rouge brique, sa pâte légèrement salée et fermentée.

Sa forme est carrée (13,5 centimètres de côté). La teneur en matière grasse de 40 % (minimum).

Le maroilles bénéficie d'une appellation d'origine.

LE MUNSTER (*ou géromé*). Il est fabriqué exclusivement avec du lait de vache emprésuré.

Sa forme est circulaire : diamètre 15 à 18 centimètres ; épaisseur : 3 à 6 centimètres, sa croûte jaune orangé. Sa teneur en matière grasse de 40 % (minimum).

LE PONT-L'ÉVÊQUE est fabriqué exclusivement avec du lait de vache emprésuré. Il est de forme carrée : 10,5 à 11,5 centimètres de côté. La teneur en matière grasse de 40 %.

LES FROMAGES A PATE PERSILLÉE

Les fromages à pâte persillée sont des fromages dont la pâte, ni cuite ni pressée, a subi, indépendamment de la fermentation lactique, d'autres fermentations. Affinés, ils comportent des moisissures internes. La pâte persillée peut être ensemencée (pénicillium) ou non.

LA GRANDE FAMILLE DES « BLEUS »

La dénomination « BLEU » *sans indication de l'espèce animale* est réservée à un fromage à pâte persillée fabriqué *exclusivement avec du lait de vache*. Le « BLEU » doit renfermer au minimum 40 % de matière grasse pour 100 grammes de fromage après complète dessication ; la teneur en matière sèche ne doit pas être inférieure à 50 grammes pour 100 grammes de fromage.

La dénomination « *bleu de chèvre* » est réservée aux fromages fabriqués *exclusivement avec du lait de chèvre* (type de fromage peu répandu).

La dénomination « *bleu de brebis* » s'applique aux fromages fabriqués *exclusivement avec du lait de brebis*.

Les principaux bleus fabriqués avec du lait de vache.

Ce sont de loin les plus nombreux. La dénomination exacte du produit doit figurer en caractères apparents sur la totalité de l'étiquette afin que l'identification soit possible quelles que soient les portions coupées.

LE BLEU D'AUVERGNE : Il est fait avec le lait des vaches de Salers et d'Aubrac. Il est le plus souvent fabriqué à la ferme et confié ensuite pour l'affinage à des spécialistes. Il se présente sous la forme d'un large cylindre d'un poids de 9 livres environ qui porte une étiquette « Syndicat du véritable bleu d'Auvergne ».

LE BLEU DE LAQUEUILLE semble être le plus ancien des bleus de la région. Dans la première moitié du XIXe siècle les paysans fabriquaient un fromage pressé d'assez médiocre qualité : la fourme de Rochefort. L'un d'eux, Antoine Roussel, eut l'idée, pour l'améliorer, d'ensemencer le caillé avec la moisissure bleue qui apparaissait sur les tourtes de pain de seigle moisi. La fourme devint fromage persillé dit « bleu de Laqueuille ». Sa forme est ronde, diamètre 20 centimètres, hauteur, 10 centimètres.

LE BLEU DE BRESSE ou BRESSE BLEU est, comme son nom l'indique, produit dans la région située entre la Saône et le Jura. C'est un fromage au persillage assez soutenu.

LE BLEU DES CAUSSES (appelé aussi BLEU DE L'AVEYRON), est une *appellation d'origine protégeant un type de « bleu »*. Il est fabriqué uniquement avec du lait de vache non écrémé. Il est affiné dans les caves calcaires des Causses où circulent des courants d'air naturels. L'aire géographique de production est légalement délimitée.

Le « bleu des Causses » se présente sous forme de cylindre plat. Diamètre 20 centimètres, hauteur 8 à 10 centimètres, à croûte légère et naturelle. Sa teneur en matière grasse est au minimum de 45 %.

LE BLEU DU HAUT-JURA, appelé aussi « bleu de Gex » ou « septmoncel ». *Il bénéficie d'une appellation d'origine*. Celle-ci est réservée à un fromage bleu persillé préparé avec du lait en provenance des riches pâturages de certaines communes du Jura et de l'Ain. Le persillage bleu se produit *sans ensemencement*. Le fromage se présente sous forme de meule de 30 centimètres de diamètre, 10 centimètres de hauteur, pesant environ 6 à 9 kilos. La croûte sèche est jaune rougeâtre.

LE BLEU DE QUERCY, fabriqué comme l'indique son nom dans la région du Quercy, a beaucoup de points communs avec le « bleu d'Auvergne ». Il se présente sous la forme cylindrique et pèse 2 à 3 kilos.

Les bleus fabriqués avec du lait de brebis.

LE ROQUEFORT est fabriqué *exclusivement avec du lait de brebis,* pur et entier, coagulé par la présure. Le caillé est égoutté, brisé, mis en moules métalliques, ensemencé avec une culture spéciale de pénicillium qui, en se développant, produit, au cours de l'affinage, les veines bleues que nous connaissons. Pour aider au développement des pénicilliums la pâte est piquée, l'oxygène pénètre ainsi au cœur du fromage. L'affinage a lieu dans des conditions particulières : il est réalisé dans les caves naturelles de Roquefort parcourues par des courants d'air naturels, froids et humides qui passent par les nombreuses failles (fleurines) provenant des éboulements de la falaise calcaire de Combalou.

Ces courants d'air maintiennent une température de 7 à 8° dans les caves d'affinage et donnent au roquefort les qualités qui lui sont propres. L'affinage dure au minimum 40 jours pendant lesquels les fromages sont salés et brossés. Le roquefort est cylindrique, d'un diamètre de 18 centimètres, hauteur 10 centimètres, d'un poids de 2,200 kilos environ. Il est enveloppé de papier d'étain portant la mention : « Véritable roquefort ».

LES FROMAGES A PATE FONDUE

Ce sont les produits de la fonte du fromage additionnés d'autres produits laitiers, notamment de lait (liquide ou en poudre), beurre, crème, caséine, avec ou sans adjonction d'aromates. Ces fromages à pâte fondue doivent renfermer au moins 50 % de matière grasse.

Citons les principales variétés : crème de gruyère, fondu aux noix, fondu aux raisins, fromages à tartiner.

LES FROMAGES DE CHÈVRE

Il existe quelque trente ou trente-cinq variétés de fromages de chèvre que les amateurs connaissent bien et dont ils apprécient le goût très particulier.

Connu depuis l'Antiquité, élément important de la nourriture des paysans, le fromage de chèvre, comme les autres fromages, se mangeait avec du pain mais aussi broyé avec de l'ail, des épices, de l'huile et du vinaigre ; réduit en poudre, il remplaçait souvent la farine dans les pâtisseries.

Jusqu'à nos jours, la fabrication des fromages de chèvre était en grande partie artisanale, entre les mains des fermiers et des affineurs ; aujourd'hui elle tend à s'industrialiser.

Les trois grandes régions productrices sont :

Charente-Poitou, Rhône-Alpes, Centre qui assurent les trois quarts de la production de lait de chèvre.

Malgré leurs différences de goût, de consistance, de forme, de poids (de 50 grammes à 1,500 kilo), tous les fromages de chèvre subissent les mêmes étapes de fabrication. La différenciation se situe au niveau du moulage pour la forme et le poids, et de la maturation pour le goût et la consistance.

— *Caillage du lait* après emprésurage pendant 48 à 72 heures au frais.
— *Égouttage du caillé* pendant 12 heures dans une toile fine.
— *Mise en forme* (cylindre, pyramide, rond...) et salage.
— *Affinage* en atmosphère fraîche et humide pendant trois semaines environ ; les fromages se mangent généralement secs mais certains préfèrent ces fromages blancs et moelleux, non affinés.

Qu'appelle-t-on « mi-chèvre? »

Alors que le « chèvre » est un fromage pur chèvre, le « mi-chèvre » peut être fabriqué avec seulement 25 % de lait de chèvre ; une bande jaune doit porter la proportion de lait de vache ajouté pour la fabrication.

LES LAITS FERMENTÉS

Le lait fermenté est connu en France sous l'appellation yaourt ou yoghourt (nom d'origine turque).

LE YAOURT (ou YOGHOURT). Le yaourt est fabriqué à partir de lait de vache dont l'acidité initiale est inférieure à 0,65 % : lait écrémé ou non, ou lait concentré en poudre (écrémé ou non), ayant subi la pasteurisation, la stérilisation ou l'ébullition, homogénéisé ou non. Refroidi à 45°, le lait est ensemencé de ferments lactiques (ferment bulgare), qui provoquent sa coagulation. Celle-ci ne doit pas être obtenue par d'autres moyens que ceux résultant de l'activité des micro-organismes utilisés. Leur flore doit être maintenue *vivante jusqu'à la vente au consommateur.*

III. — MON FICHIER-FROMAGES

ABONDANCE

Région d'origine : Savoie, vallée d'Abondance.

Lait : de vache partiellement écrémé,

Type de pâte : pressée, non cuite.

Goût : prononcé.

Poids, dimensions, présentation : meule de 5 à 15 kilos ; 35 à 45 centimètres de diamètres, 8 à 10 centimètres d'épaisseur ; à nu, croûte naturelle brossée, grise, peu rugueuse.

Procédé d'affinage : en cave humide (95° d'hygrométrie) pendant 8 à 10 semaines.

Teneur en matière grasse : 40 % environ.

Meilleure saison de consommation : de fin juin à fin septembre.

Critères de choix : appuyer avec le doigt ; sous une croûte fine la pâte doit être ferme et souple.

Vins conseillés : vins blancs locaux (Crépy, Roussette), vins rouges de Mondeuse légers.

AISY CENDRÉ (ou **cendré d'Aisy**)

Région d'origine : Bourgogne.

Lait : de vache.

Type de pâte : molle.

Goût : très fruité, sentant le terroir.

Poids, dimensions, présentation : disque épais ou forme conique basse de 350 grammes à 600 grammes ; 10 à 12 centimètres de diamètre, 4 à 6 centimètres d'épaisseur ; croûte lavée présentée sous de la cendre.

Procédé d'affinage : 8 semaines en cave humide, avec lavages au marc de Bourgogne. Conservation dans la cendre de sarments.

Teneur en matière grasse : 45 %.

Meilleure saison de consommation : de mi-septembre à mi-juin.

Critères de choix : revêtements de cendre gris-noir. Pâte plutôt dure et blanche.

Vins conseillés : les plus solides et charpentés, Corton par exemple.

ALIGOT (ou tomme d'Aligot ou tomme fraîche)

Région d'origine : Aquitaine, Rouergue essentiellement.

Lait : de vache, de race Aubrac.

Type de pâte : pressée non cuite, base du cantal et du laguiole, fraîche.

Goût : de lait assez sensible.

Présentation : pains débités dans la masse de la pâte, sans moulage ni emballage.

Procédé d'affinage : pas d'affinage. Fromage à consommer frais.

Teneur en matière grasse : au moins 45 %.

Meilleure saison de consommation : de juin à septembre.

Critères de choix : pas de croûte. Pâte souple de couleur ivoire.

Vins conseillés : vins fruités des coteaux d'Auvergne.

AMOU

Région d'origine : Gascogne.

Lait : de brebis.

Type de pâte : pressée non cuite.

Goût : de doux, assez noiseté, à légèrement piquant.

Poids, dimensions, présentation : disque épais à talon convexe de 4 à 5 kilos ; diamètre 35 centimètres, épaisseur 7 à 8 centimètres ; croûte naturelle brossée, lavée, huilée, présentée à nu.

Procédé d'affinage : 10 à 12 semaines en cave humide.

Teneur en matière grasse : au moins 45 %.

Meilleure saison de consommation : mi-mars à fin septembre.

Critères de choix : fine croûte jaune doré. Pâte homogène assez ferme.

Vins conseillés : blancs et rosés de Béarn, vins de sable des Landes, en général tous les vins secs qui ont du corps.

AROMES AU GENE DE MARC

Région d'origine : Lyonnais.

Lait : de chèvre.

Type de pâte : celui des rigottes, saint-marcellins, pélardons, picodons qui servent de base.

Goût : assez à très piquant.

Présentation : ceux du fromage de base mais sous une gangue de marc fermenté.

Procédé d'affinage : 1 mois dans du marc.

Teneur en matière grasse : 45 %.

Meilleure saison de consommation : de fin septembre à fin février.

Critères de choix : croûte visqueuse. Forte odeur de marc.

Vins conseillés : Beaujolais-Villages, Côte-du-Rhône-Villages.

BAGUETTE LAONNAISE

Région d'origine : Ile-de-France, Champagne.

Lait : de vache.

Type de pâte : molle.

Goût : très prononcé.

Poids, dimensions, présentation : pains parallélépipédiques à section carrée ou rectangulaire de 500 grammes ; longueur 15 centimètres, section 6 centimètres de côté ; croûte lavée, présentation en boîte.

Procédé d'affinage : 3 mois en cave humide avec lavages hebdomadaires à l'eau salée.

Teneur en matière grasse : 45 %.

Meilleure saison de consommation : de fin juin à fin février.

Critères de choix : croûte brillante et lisse de couleur brique. Pâte assez tendre. Odeur forte.

Vins conseillés : rouges très corsés, Cahors, Madiran, Patrimonio.

BEAUFORT (appellation d'origine)

Région d'origine : Savoie, Haute-Tarentaise.

Lait : de vache.

Type de pâte : pâte dure pressée cuite.

Goût : très fruité.

Poids, dimensions, présentation : cylindre aplati de 40 à 60 kilos ; 60 centimètres de diamètre, 12 à 14 centimètres d'épaisseur ; croûte naturelle brossée, en meule présentée nue. Le talon (c'est-à-dire les côtés de la meule) est légèrement concave.

Procédés d'affinage : en cave très humide. Lavage des meules tous les 2 ou 3 jours pendant 6 mois.

Teneur en matière grasse : 50 %.

Meilleure saison de consommation : de décembre à fin septembre.

Critères de choix : pâte jaune très pâle, lisse, avec des « becs ».

Vins conseillés : vins blancs de Savoie, fruités, vins rouges fruités et vifs.

BLEU D'AUVERGNE (appellation d'origine)

Région d'origine : les départements du Puy-de-Dôme et du Cantal. La production est acceptée dans quelques communes de Haute-Loire, Aveyron, Corrèze, Lot et Lozère.

Lait : de vache.

Type de pâte : molle, à moisissures internes bleues.

Goût : assez piquant et prenant.

Poids, dimensions, présentations : cylindre aplati de 2,300 à 2,500 kilos ; 18 à 20 centimètres de diamètre, 9 à 10 centimètres d'épaisseur ; croûte naturelle enveloppée de papier d'aluminium frappé du label d'origine.

Procédé d'affinage : en cave humide (90° d'hygrométrie) pendant 4 semaines.

Teneur en matière grasse : 45 %.

Meilleure saison de consommation : pour les fromages fermiers de fin juin à mi-septembre ; pour les fromages laitiers toute l'année.

Critères de choix : pâte bien persillée qui est un gage d'onctuosité.

Vins conseillés : vins bien charpentés et nerveux : Cornas, Hermitage rouges.

BLEU DE BRESSE

Région d'origine : pays de l'Ain.

Lait : de vache, pasteurisé.

Type de pâte : molle, veinée de bleu.

Goût : moyen à assez prononcé.

Poids, dimensions, présentation : pains cylindriques de 125 grammes, 250 grammes, 500 grammes ; diamètre 6 à 8 et 10 centimètres pour 4,5, 5 et 6,5 centimètres d'épaisseur. Croûte naturelle sous habillage de papier métallique gainé de carton.

Procédé d'affinage : en cave fraîche une vingtaine de jours.

Teneur en matière grasse : 50 %.

Meilleure saison de consommation : toute l'année.

Critères de choix : tentez d'apprécier à travers l'emballage la consistance de la pâte qui doit être souple.

Vins conseillés : vins légers et fruités du Beaujolais, des Côtes lyonnaises, roannaises et Côtes-du-Rhône, Mont-July, Brouilly, Bouzy, Pupillin, Pomerol.

BLEU DES CAUSSES (appellation d'origine)

Région d'origine : cantons de Campagnac, Peyreleau, Cornus, Millau, Saint-Affrique dans l'Aveyron, communes de Trèves dans le Gard, de Pégairolées-de-l'Escalette dans l'Hérault.

Lait : de vache.

Type de pâte : molle, à moisissures internes bleues.

Goût : relevé à très relevé selon maturation ; beaucoup de bouquet.

Poids, dimensions, présentation : cylindre plat de 2,250 à 2,500 kilos ; 18 à 29 centimètres de diamètre, 9 à 10 centimètres d'épaisseur ; croûte naturelle sous papier métallique portant label d'origine.

Procédé d'affinage : en cave humide (90° d'hygrométrie) pendant 4 semaines.

Teneur en matière grasse : 45 %

Meilleure saison de consommation : fin juin à fin octobre.

Critères de choix : pâte grasse à moisissures bleues abondantes.

Vins conseillés : tous les vins rouges, charpentés et vifs, gouleillants : Hermitage, Châteauneuf-du-Pape, Côte rôtie, Minervois, Bordeaux.

BLEU DE GEX
(sous appellation d'origine : **bleu du Haut-Jura**)

Région d'origine : Franche-Comté, pays de Gex.

Lait : de vache.

Type de pâte : très veinée de bleu, un peu pressée.

Goût : assez savoureux mais légèrement amer.

Poids, dimensions, présentation : disque épais de 5 à 6 kilos, 30 centimètres de diamètre, 8 à 9 centimètres d'épaisseur ; croûte naturelle, brossée à nu.

Procédé d'affinage : en cave fraîche et humide (90° d'hygrométrie) 8 à 12 semaines.

Teneur en matière grasse : 45 %.

Meilleure saison de consommation : de fin juin à fin septembre.

Critères de choix : pâte très grasse et très veinée.

Vins conseillés : vins rouges fruités, Jura, Beaujolais, Bourgogne, Côtes-du-Rhône, Arbois rouge, Rumilly.

BLEU DE QUERCY

Région d'origine : Aquitaine.

Lait : de vache.

Type de pâte : molle à veinures internes bleues.

Goût : relevé à assez fort.

Poids, dimensions, présentation : forme cylindrique de 2,250 à 2,500 kilos ; 18 à 20 centimètres de diamètre, 9 à 10 centimètres d'épaisseur ; croûte naturelle sous papier métallique, fromage protégé par un label de qualité.

Procédé d'affinage : en cave humide (90° d'hygrométrie) pendant 12 semaines.

Teneur en matière grasse : 45 %.

Meilleure saison de consommation : fin septembre à mi-mars.

Critères de choix : veinures bleues bien réparties dans la pâte qui doit être tendre au toucher.

Vins conseillés : vins rouges solidement charpentés, notamment vin de Cahors.

BLEU DE SASSENAGE

Région d'origine : Dauphiné.

Lait : de vache.

Type de pâte : peu pressée, à veinures bleues internes.

Goût : relativement à assez relevé avec une légère tendance à l'amertume.

Poids, dimensions, présentation : disque épais à flancs arrondis de 5 à 6 kilos ; 30 centimètres de diamètre ; 8 à 9 centimètres d'épaisseur ; croûte naturelle à nu.

Procédé d'affinage : en cave humide (90° d'hygrométrie) pendant 10 à 12 semaines.

Teneur en matière grasse : 45 %.

Meilleure saison de consommation : de fin juin à novembre.

Critères de choix : croûte gris-bleu peu rugueuse, persillée, bien répartie, pâte souple peu odorante.

Vins conseillés : Beaujolais-Villages, Côtes-du-Rhône, tous vins rouges vifs et corsés.

BOUILLE

Région d'origine : Normandie.

Lait : de vache, enrichi.

Type de pâte : molle, double-crème.

Goût : fruité très relevé.

Poids, dimensions, présentation : cylindre épais de 300 grammes environ ; 8 centimètres de diamètre, 5 à 5,5 centimètres d'épaisseur.

Procédé d'affinage : 8 semaines, à sec.

Teneur en matière grasse : 60 %.

Meilleure saison de consommation : fin juin à fin février.

Critères de choix : croûte duveteuse blanche légèrement pigmentée de rouge. Pâte ferme.

Vins conseillés : tous les rouges fruités, corsés, un peu liquoreux.

BOULETTE D'AVESNES

Région d'origine : Flandre-Hainaut.

Lait : de vache.

Type de pâte : molle, broyée, malaxée, aromatisée avec persil, estragon, poivre.

Goût : saveur forte et piquante.

Poids, dimensions, présentation : cône irrégulier moulé à la main de 200 à 300 grammes ; 6 à 8 centimètres de diamètre, 8 à 10 centimètres de hauteur ; croûte naturelle teintée de rouge.

Procédé d'affinage : 8 à 9 semaines en cave humide.

Teneur en matière grasse : 50 %.

Meilleure saison de consommation : de juin à fin février.

Critères de choix : croûte rougeâtre. Odeur forte.

Vins conseillés : tous les vins rouges solidement charpentés et corsés, ou le traditionnel petit verre de Genièvre.

BOUTON DE CULOTTE
(ou chèvreton de Mâcon)

Région d'origine : Bourgogne.

Lait : chèvre, mi-chèvre ou pur vache.

Type de pâte : molle, durcie en cellier.

Goût : saveur très forte à piquante.

Poids, dimensions, présentation : petit cône tronqué de 50 à 60 grammes ; diamètre à la base 5 centimètres, au sommet 4 centimètres, hauteur 3 à 4 centimètres ; croûte brun foncé présentée à nu.

Procédé d'affinage : dans des garde-manger exposés au nord, placés à l'ombre.

Teneur en matière grasse : de 40 à 45 %.

Meilleure saison de consommation : décembre à mars.

Critères de choix : pâte dure. Croûte légèrement jaunâtre.

Vins conseillés : tous vins rouges puissants du Mâconnais et de la Côte chalonnaise.

BRESSAN (ou **petit bressan**)

Région d'origine : pays de l'Ain.

Lait : de chèvre ou mi-chèvre.

Type de pâte : molle.

Goût : assez peu perceptible à très fruité.

Poids, dimensions, présentation : tronc de cône de 60 grammes ; 4 centimètres de diamètre, 3 à 4 centimètres de hauteur ; croûte naturelle présentée à nu.

Procédé d'affinage : 3 semaines à sec, en cave aérée.

Teneur en matière grasse : 40 à 45 %.

Meilleure saison de consommation : fin juin à fin novembre.

Critères de choix : croûte jaune clair sans moisissures. Pâte lisse et ferme.

Vins conseillés : blancs, rosés, rouge légers et fruités du Beaujolais, du Jura, du Bugey.

BRIE DE COULOMMIERS

Région d'origine : Ile-de-France.

Lait : de vache.

Type de pâte : molle

Goût : agréable, peu relevé, à saveur de terroir.

Poids, dimensions, présentation : disque plat de 1,250 kilo ; 25 centimètres de diamètre, 3 centimètres d'épaisseur ; croûte fleurie, présentation à nu sur paillasson.

Procédé d'affinage : à sec, 4 semaines (85° d'hygrométrie).

Teneur en matière grasse : 45 %.

Meilleure saison de consommation : de septembre à mars.

Critères de choix : croûte légèrement duvetée, tachetée de rouge. Pâte jaune crémeuse mais non coulante.

Vins conseillés : vins rouges fruités, Beaujolais-Villages, Pommard, Volnay.

BRIE DE MEAUX

Région d'origine : Ile-de-France.

Lait : de vache.

Type de pâte : molle.

Goût : peu relevé à saveur de terroir.

Poids, dimensions, présentation : disque plat de 2,200 kilos à 2,500 kilos selon le moule ; 35 et 28 centimètres de diamètre, 2,5 centimètres d'épaisseur ; croûte fleurie, présentation à nu sur paillon.

Procédé d'affinage : à sec, 4 semaines (85° d'hygrométrie).

Teneur en matière grasse : au moins 45 %.

Meilleure saison de consommation : de fin juin à fin février.

Critères de choix : croûte légèrement duvetée et tachetée de rouge. Pâte jaune crémeuse.

Vins conseillés : vins rouges vifs et fruités de Bourgogne, gouleillants de Pomerol ou de Saint-Émilion, Fleurie, Mercurey, Médoc, Chinon.

BRIE DE MELUN

Région d'origine : Ile-de-France.

Lait : de vache.

Type de pâte : molle .

Goût : assez relevé, fruité.

Poids, dimensions, présentation : disque assez épais de 1,500 kilo environ ; 24 centimètres de diamètre, 5 centimètres d'épaisseur ; croûte naturelle, présentation à nu sur paillon.

Procédé d'affinage : en cave humide, 8 à 9 semaines (90° d'hygrométrie).

Teneur en matière grasse : de 40 à 45 %.

Meilleure saison de consommation : de fin juin à fin février.

Critères de choix : croûte colorée de traces rouges et gris foncé. Pâte souple sous le doigt mais avec un peu de résistance.

Vins conseillés : vins rouges corsés de Bourgogne, de Bordeaux, des Côtes-du-Rhône, Côtes-de-Nuits, Vougeot, Corton, Médoc-Pauillac.

CABECOU D'ENTRAYGUES

Région d'origine : Rouergue.

Lait : de chèvre.

Type de pâte : molle.

Goût : très caractéristique, de doux à relevé et fortement noiseté.

Poids, dimensions, présentation : petit disque très plat de 40 grammes avant séchage et 20 grammes environ après séchage ; 4 centimètres de diamètre, 1 centimètre d'épaisseur ; croûte naturelle présentée à nu.

Procédé d'affinage : à l'air, 10 jours.

Teneur en matière grasse : 45 % environ.

Meilleure saison de consommation : novembre à début mars.

Critères de choix : croûte lissée légèrement bleutée ; ferme.

Vins conseillés : tous les vins de pays rouges et fruités *:* rosé de Béarn, Cahors, Marseillan.

CAILLEBOTTE

Région d'origine : Poitou.

Lait : de vache.

Type de pâte : fraîche non salée.

Goût : doux et crémeux.

Poids, dimension, présentation : variables selon l'égouttage ; présentation sur tresse de jonc ou moule de bois.

Procédé d'affinage : pas d'affinage.

Teneur en matière grasse : variable.

Meilleure saison de consommation : fin juin à mi-septembre.

Critères de choix : blanc, tendre et gras.

Vins conseillés : en principe, pas de vin.

CAMEMBERT

Région d'origine : Normandie, pays d'Auge.

Lait : de vache cru.

Type de pâte : molle.

Goût : saveur fruitée, de peu relevée à forte.

Poids, dimensions, présentation : disque plat de 250 grammes ; 11 centimètres de diamètre, 3 centimètres d'épaisseur, croûte fleurie, présenté en boîte.

Procédé d'affinage : en cave, à sec 4 semaines.

Teneur en matière grasse : 45 %.

Meilleure saison de consommation : juin à octobre.

Critères de choix : croûte ridée, non lisse, blanche et légèrement tachetée de rouge. Pâte souple sous le doigt sur les bords comme au centre du fromage.

Vins conseillés : tous vins rouges souples et fruités *:* Vougeot, Beaune, Morgon, Haut-Brion.

CANCOILLOTTE (obtenue à partir du metton)

Région d'origine : Franche-Comté.

Lait : de vache, écrémé.

Type de pâte : cuite avec de l'eau salée, du beurre aromatisé à l'ail ou au vin blanc.

Goût : très fruité assez fort.

Poids, dimensions, présentation : en pots de plastique et en boîtes métalliques de différents poids, de 200 à 400 grammes.

Procédé d'affinage : pas d'affinage.

Teneur en matière grasse : 30 % (proportion du beurre ajouté au metton).

Meilleure saison de consommation : toute l'année.

Critères de choix : pâte jaune clair pouvant avoir des reflets verdâtres. Quand la pâte est grise, elle n'est plus consommable.

Vins conseillés : Arbois, Champagne nature, Champlitte, Roussette.

CANTAL (fourme du Cantal ou fourme de Salers) (Appellation d'origine)

Région d'origine ; Auvergne. Département du Cantal, quelques communes de l'Aveyron, de la Corrèze, du Puy-de-Dôme, de la Haute-Loire. Le *Salers* est un cantal fabriqué l'été à une altitude supérieure à 850 mètres.

Lait : de vache.

Type de pâte : pressée non cuite.

Goût : saveur assez peu relevée et noisetée.

Poids, dimensions, présentation : haut cylindre de 35 à 45 kilos ; 35 à 45 centimètres de diamètre, 35 à 40 centimètres de hauteur ; croûte naturelle essuyée à nu.

Procédé d'affinage : à sec, en cave humide, 4 à 7 mois.

Teneur en matière grasse : 45 %.

Meilleure saison de consommation : juin à septembre.

Critères de choix : croûte grise lisse à reflets dorés. Pâte jaune très pâle, lisse.

Vins conseillés : vins légers et fruités : Chanturgue, Chinon, Rully, Saint-Pourçain.

CENDRÉ DE CHAMPAGNE
(ou **cendré des Riceys**)

Région d'origine : Champagne.

Lait : de vache, écrémé.

Type de pâte : molle.

Goût : très noiseté quand il est jeune, presque savonneux en vieillissant.

Poids, dimensions, présentation : disque plat de 250 grammes environ ; 11 centimètres de diamètre, 3 centimètres d'épaisseur ; croûte naturelle cendrée à nu.

Procédé d'affinage : en cave humide, 6 semaines, dans des coffres remplis de cendre de bois.

Teneur en matière grasse : 20 à 30 %.

Meilleure saison de consommation : fin juin à fin novembre.

Critères de choix : revêtement de cendre gris-noir. Pâte assez souple.

Vins conseillés : rouges charpentés et corsés tels que le Bouzy.

CERVELLE DE CANUT
(ou **claqueret lyonnais**)

Région d'origine : Lyonnais.

Lait : de vache.

Type de pâte : fraîche, aromatisée aux herbes.

Goût : varie avec les aromates employés.

Poids, dimensions, présentation : variables en fonction du récipient d'égouttage, en terre ou en céramique ; présentation en pot ou en vrac.

Procédé d'affinage : pas d'affinage.

Teneur en matière grasse : variable.

Meilleure saison de consommation : toute l'année.

Critères de choix :

Vin conseillé : Beaujolais.

CHABICHOU

Région d'origine : Poitou.

Lait : de chèvre.

Type de pâte : molle.

Goût : très prononcé, de fort à piquant.

Poids, dimensions, présentation : petit cône tronqué de 100 grammes environ ; 6 centimètres de diamètre à la base, 5 centimètres au sommet, 6 centimètres de hauteur ; croûte naturelle à nu.

Procédé d'affinage : en cave, à sec, 2 à 3 semaines.

Teneur en matière grasse : 45 %.

Meilleure saison de consommation : fin juin à fin octobre.

Critères de choix : croûte à dominante rouge avec moisissures gris-bleu. Pâte ferme.

Vins conseillés : vins rouges fruités ou blancs secs : Bourgueil, Fleurie, Volnay, Muscadet, Marigny-Brisay.

CHAOURCE (appellation d'origine)

Région d'origine : Champagne.

Lait : de vache.

Type de pâte : molle.

Goût : assez doux, laiteux à légèrement fruité.

Poids, dimensions, présentation : cylindre de 600 à 650 grammes ;
12 centimètres de diamètre, 6 centimètres d'épaisseur ; croûte fleurie
à nu.

Procédé d'affinage : à sec, 4 semaines.

Teneur en matière grasse : 45 à 50 %.

Meilleure saison de consommation : fin juin à fin novembre.

Critères de choix : pâte duveteuse blanche. Pâte souple. Légère odeur
de forêt.

Vins conseillés : vins blancs fruités de Saint-Bris-le-Vineux, de Chablis,
d'Irancy, Riceys et Arbois rosés, Pupillin, Bouzy.

CHAROLAIS

Région d'origine : Bourgogne.

Lait : de chèvre, mi-chèvre.

Type de pâte : molle.

Goût : assez fort, noiseté fréquemment très prononcé.

Poids, dimensions, présentation : cylindre haut de 200 grammes ;
5 centimètres de diamètre, 8 centimètres de hauteur ; croûte naturelle
présentée à nu.

Procédé d'affinage : à sec, dans des garde-manger exposés au nord,
2 semaines environ.

Teneur en matière grasse : 40 à 45 %.

Meilleure saison de consommation : fin juin à novembre.

Critères de choix : croûte grisâtre, consistance assez ferme.

Vins conseillés : blancs secs du Mâconnais, aligotés de Bourgogne,
Mâcon-Viré, Pouilly-Fuissé, Chablis, Tanney, Irancy, Chassagne rouge.

CHESTER

Région d'origine : France.

Lait : de vache, pasteurisé.

Type de pâte : pressée non cuite, colorée en rouge.

Goût : assez prononcé mais peu relevé.

Poids, dimensions, présentation : cylindre haut de 32 à 50 kilos ; 35 à 40 centimètres de diamètre, 40 à 45 centimètres de hauteur ; croûte naturelle graissée, à nu sous toile de protection.

Procédé d'affinage : 6 mois en cave sèche.

Teneur en matière grasse : 45 %.

Meilleure saison de consommation : toute l'année.

Critères de choix : croûte unie jaune. Pâte homogène jaune assez ferme.

Vins conseillés : vins fruités et nerveux, Médoc, Porto, Xérès.

CHEVROTIN DES ARAVIS

Région d'origine : Savoie.

Lait : de chèvre.

Type de pâte : pressée non cuite.

Goût : relativement doux, à nette saveur de chèvre.

Poids, dimensions, présentation : disque plat de 400, 600 ou 700 grammes ; environ 13 centimètres de diamètre, 4 centimètres d'épaisseur, souvent d'un diamètre inférieur ; présentation à nu sous croûte naturelle.

Procédé d'affinage : en cave humide, 8 semaines.

Teneur en matière grasse : 45 %.

Meilleure saison de consommation : de fin juin à novembre.

Critères de choix : croûte jaune rosé. Pâte assez souple sous le doigt.

Vins conseillés : Mondeuse d'Arbin, Pupillin, Chiroubles, Moulin-à-Vent.

COMTÉ (ou gruyère de Comté)
(Appellation d'origine)

Région d'origine : Franche-Comté.

Lait : de vache.

Type de pâte : pressée cuite.

Goût : assez fruité, parfois relevé à salé.

Poids, dimensions, présentation : meule cylindrique aplatie, à flancs convexes, de 35 kilos environ ; 62 à 65 centimètres de diamètre, 10 à 11 centimètres d'épaisseur ; croûte naturelle brossée présentée à nu.

Procédé d'affinage : à sec, en cave très humide, 4 à 6 mois à température de 7°.

Teneur en matière grasse : 45 %.

Meilleure saison de consommation : début septembre à mi-mars.

Critères de choix : trous de la grosseur d'une noisette, très espacés avec quelques « becs ». Pâte jaune très clair. Croûte rugueuse.

Vins conseillés : Brouilly, Fleurie, Mâcon, Apremont, Arbois rosé.

COULOMMIERS

Région d'origine : Ile-de-France.

Lait : de vache.

Type de pâte : molle.

Goût : saveur assez prononcée et relevée.

Poids, dimensions, présentation : disque plat de 0,500 kilo environ ; 13 centimètres de diamètre, 2,5 à 3 centimètres d'épaisseur ; croûte fleurie présentée à nu.

Procédé d'affinage : à sec, 4 semaines.

Teneur en matière grasse : 45 à 50 % environ.

Meilleure saison de consommation : toute l'année sauf mai, début juin.

Critères de choix : croûte ridée blanc grisâtre avec un peu de rouge. Pâte jaune pâle et crémeuse.

Vins conseillés : Fleurie, Volnay, Pomerol, Mondeuse.

CROTTIN DE CHAVIGNOL
(appellation d'origine)

Région d'origine : Berry, Sancerrois.

Lait : de chèvre cru et entier.

Type de pâte : molle.

Goût : saveur assez douce, peu relevée, légèrement noisetée.

Poids, dimensions, présentation : petite boule aplatie de 60 à 80 grammes ; 5 centimètres de diamètre, 2 centimètres d'épaisseur ; croûte naturelle à nu.

Procédé d'affinage : à sec, dans un lieu aéré, pendant 2 semaines.

Teneur en matière grasse : 45 %.

Meilleure saison de consommation : d'avril à fin novembre.

Critères de choix : croûte à moisissures blanches ou bleuâtres. Consistance demi-dure.

Vins conseillés : vins blancs secs de Sauvignon-Sancerre, Quincy, Pouilly, Pinots gris fruités de pays.

DAUPHIN

Région d'origine : Hainaut français.

Lait : de vache.

Type de pâte : molle, aromatisée à l'estragon et au poivre.

Goût : assez relevé, aromatisé, bouqueté, se rapprochant de celui du Maroilles.

Poids, dimensions, présentation : en croissant ou en baguette de 200 à 500 grammes ; épaisseur constante de 4 à 5 centimètres ; croûte lavée présentée à nu ou sous habillage transparent.

Procédé d'affinage : en cave humide, 8 semaines.

Teneur en matière grasse : 50 % au moins.

Meilleure saison de consommation : de mi-juin à mars.

Critères de choix : croûte brune. Odeur forte. Pâte assez ferme sous le doigt.

Vins conseillés : Vosne-Romanée, Corton, Richebourg, Saint-Émilion

EDAM FRANÇAIS

Région d'origine : France.

Lait : de vache, pasteurisé.

Type de pâte : pressée, réchauffé.

Goût : assez doux et laiteux.

Poids, dimensions, présentation : petite boule sphérique de 1,500 kilo environ ; 13 centimètres de diamètre en hauteur, 12 centimètres en largeur ; croûte paraffinée teintée de rouge présentée à nu avec label d'origine.

Procédé d'affinage : en cave sèche 8 à 10 semaines.

Teneur en matière grasse : 40 %.

Meilleure saison de consommation : toute l'année.

Critères de choix : pâte jaune lisse avec parfois quelques petits trous. Aspect luisant.

Vins conseillés : Beaujolais, Bordeaux, Chablis.

EMMENTAL FRANÇAIS

Régions d'origine : Franche-Comté, Savoie.

Lait : de vache, cru ou pasteurisé ou activisé.

Type de pâte : pressée cuite.

Goût : de doux à relevé, assez fruité.

Poids, dimensions, présentation : meule à faces convexes de 60 à 80 kilos ; 80 à 85 centimètres de diamètre, 22 à 25 centimètres d'épaisseur sur les bords ; croûte brossée et graissée présentée à nu, avec marque d'origine et label.

Procédé d'affinage : en cave humide (8 à 10°) 4 mois.

Teneur en matière grasse : 45 %.

Meilleure saison de consommation : selon le temps d'affinage, après 2 mois, toute l'année ; après 6 mois, de novembre à mai.

Critères de choix : pâte ivoire riche en trous bien répartis. Aspect luisant.

Vins conseillés : Roussette, Apremont, Muscadet, Arbois.

ENTRAMMES

Région d'origine : Maine.

Lait : de vache.

Type de pâte : pressée non cuite.

Goût : fruité.

Poids, dimensions, présentation : disque épais de 350 à 400 grammes ; 11 centimètres de diamètre, 4 centimètres d'épaisseur ; croûte lavée à nu.

Procédé d'affinage : 6 semaines en cave humide avec lavages bihebdomadaires à l'eau salée.

Teneur en matière grasse : 40 à 45 %.

Meilleure saison de consommation : toute l'année.

Critères de choix : croûte lisse de couleur ocre ou jaune. Pâte jaune très pâle, homogène et souple.

Vins conseillés : vins légers et fruités.

EPOISSES

Région d'origine : Bourgogne.

Lait : de vache.

Type de pâte : molle.

Goût : très relevé sentant bien le terroir.

Poids, dimensions, présentation : cylindre plat de 400 grammes ; 10 centimètres de diamètre, 5 à 6 centimètres d'épaisseur ; croûte lavée présenté à nu.

Procédé d'affinage : en cave humide 2 mois.

Teneur en matière grasse : 45 %.

Meilleure saison de consommation : de mi-juin à mi-mars.

Critères de choix : croûte brun rougeâtre, pâte souple ; odeur forte.

Vins conseillés : Corton, Châteauneuf-du-Pape, Chambertin, Château-Latour.

FEUILLE DE DREUX (ou **dreux à la feuille**)

Région d'origine : Ile-de-France.

Lait : de vache, partiellement écrémé.

Type de pâte : molle.

Goût : de peu relevé à relevé, mais très fruité.

Poids, dimensions, présentation : disque très plat de 300 à 500 grammes ; 16 à 18 centimètres de diamètre, 2 à 3 centimètres d'épaisseur ; croûte fleurie à nu sous protection de 3 feuilles de châtaignier de chaque côté.

Procédé d'affinage : à sec, en cave humide, 4 semaines.

Teneur en matière grasse : 30 à 40 %.

Meilleure saison de consommation : de septembre à mi-mars.

Critères de choix : croûte grisâtre tachetée de rouge. Pâte souple.

Vins conseillés : Savigny, Pomerol, Beaujolais, Touraine.

FONDU AU RAISIN (ou **fondu au marc**)

Région d'origine : Savoie.

Lait : de vache.

Type de pâte : fondue.

Goût : assez faible, peu relevé.

Poids, dimensions, présentation : gros disque épais de 2 kilos environ ; 20 centimètres de diamètre, 5 centimètres d'épaisseur ; croûte artificielle de pépins de raisins torréfiés et agglomérés sous marque de fabrique.

Procédé d'affinage : pas d'affinage.

Teneur en matière grasse : 45 % environ, en fonction des fromages employés.

Meilleure utilisation de consommation : toute l'année.

Critères de choix : éliminer les fromages dont la croûte comporte des moisissures.

Vins conseillés : Mondeuse, Arbois, Riceys rosé.

FOURME D'AMBERT (appellation d'origine)

Région d'origine : Auvergne, Livradois.

Lait : de vache.

Type de pâte : molle, légèrement pressée, à moisissures internes.

Goût : très prononcé, relevé, un peu amer.

Poids, dimensions, présentation : haut cylindre de 1,500 kilo ; 11 centimètres de diamètre, 22 centimètres de hauteur ; croûte naturelle grise parsemée de moisissures présentée à nu.

Procédé d'affinage : à sec, en cave humide, 3 mois.

Teneur en matière grasse : 45 %.

Meilleure saison de consommation : mi-juin à mi-décembre.

Critères de choix : croûte saine grise à pigmentations rougeâtres. Pâte grasse à très nombreuses moisissures bleu foncé.

Vins conseillés : Fleurie, Côtes roannaises, Hermitage.

FOURME DE MONTBRISON
(appellation d'origine)

Région d'origine : Forez.

Lait : de vache.

Type de pâte : mi-pressée, à moisissures internes.

Goût : très prononcé avec légère amertume.

Poids, dimensions, présentation : haut cylindre de 1,500 kilo environ ; 11 centimètres de diamètre, 22 centimètres de hauteur ; croûte naturelle à nu.

Procédé d'affinage : 2 à 3 mois, en cave humide avec lavages hebdomadaires à l'eau salée.

Teneur en matière grasse : 45 %.

Meilleure saison de consommation : de fin juin à fin novembre.

Critères de choix : croûte sans fissures, grise avec moisissures jaunes et rouges. Pâte homogène et ferme avec « persillage » bleu-vert.

Vins conseillés : Coteaux d'Auvergne, Coteaux du Forez, Côtes roannaises, Beaujolais.

FOURME DE ROCHEFORT

Région d'origine : Auvergne.

Lait : de vache.

Type de pâte : pressée non cuite.

Goût : de terroir, de doux à prononcé.

Poids, dimensions, présentation : haut cylindre de 5 à 10 kilos ; 15 à 20 centimètres de diamètre, 15 à 20 centimètres de hauteur ; croûte naturelle à nu.

Procédé d'affinage : 2 mois, en cave humide, à sec.

Teneur en matière grasse : 45 %.

Meilleure saison de consommation : fin juin à fin novembre.

Critères de choix : croûte grise, sans rugosités ni fissures. Pâte souple et onctueuse.

Vins conseillés : Côtes d'Auvergne, Côtes roannaises, Beaujolais, tous vins légers et fruités.

FRINAULT et FRINAULT CENDRÉ

Région d'origine : Orléanais.

Lait : de vache.

Type de pâte : molle.

Goût : assez prononcé avec du bouquet.

Poids, dimensions, présentation : petit disque plat de 130 grammes ; 9 centimètres de diamètre, 2 centimètres d'épaisseur ; croûte naturelle à nu (ou cendrée).

Teneur en matière grasse : 50 %.

Meilleure saison de consommation : fin juin à fin novembre.

Critères de choix : mince croûte bleutée. Pâte blanche et tendre.

Vins conseillés : vin gris de l'Orléanais, Bourgueil, Chinon.

GÉROMÉ

Région d'origine : Lorraine.

Lait : de vache généralement pasteurisé.

Type de pâte : molle.

Goût : relevé, de plus en plus fort selon l'épaisseur.

Poids, dimensions, présentation : disque épais de 250 grammes à 1,500 kilo ; 11 à 20 centimètres de diamètre, 2,5 à 3,5 centimètres d'épaisseur ; croûte lavée ; présenté en boîte.

Procédé d'affinage : en cave humide, de 4 à 12 semaines suivant la taille du fromage.

Teneur en matière grasse : 45 à 50 %.

Meilleure saison de consommation : toute l'année si le lait est pasteurisé, sinon de fin juin à mi-mars.

Critères de choix : le fromage doit bien remplir sa boîte : c'est le signe qu'il n'est pas desséché.

Vins conseillés : Pinot menier d'Alsace, Pupillin, Beaune.

GOUDA FRANÇAIS

Région d'origine : Flandres.

Lait : de vache, pasteurisé.

Type de pâte : pressée réchauffée.

Goût : assez doux à saveur légère de lait.

Poids, dimensions, présentation : petite meule à flancs très arrondis de 3,500 kilos à 4 kilos ; 26 centimètres de diamètre, 7,5 centimètres d'épaisseur ; croûte paraffinée teintée de jaune à nu, avec étiquette et label d'origine.

Procédés d'affinage : à sec, en cave, 2 à 3 mois.

Teneur en matière grasse : 30 à 40 %

Meilleure saison de consommation : toute l'année.

Critères de choix : pâte lisse, luisante, colorée en jaune, comportant parfois quelques petits trous.

Vins conseillés : Médoc, Graves rouges, Beaujolais.

GOURNAY

Région d'origine : Normandie, pays de Bray.

Lait : de vache.

Type de pâte : molle.

Goût : doux, légèrement salé et acide.

Poids, dimensions, présentation : petit palet rond de 100 grammes ; 8 centimètres de diamètre, 2 centimètres d'épaisseur ; croûte fleurie, présenté à nu sur paillasson.

Procédé d'affinage : en cave, 1 semaine environ.

Teneur en matière grasse : 45 %.

Meilleure saison de consommation : de juin à décembre.

Critères de choix : croûte blanc crème légèrement duvetée. Pâte souple.

Vins conseillés : Fleurie, Chinon, Chanturgue, Bouzy.

GRIS DE LILLE

Régions d'origine : Artois, Flandre, Hainaut.

Lait : de vache.

Type de pâte : molle.

Goût : très fort et très salé.

Poids, dimensions, présentation : pavé de 800 grammes à 1 kilo ; 12 à 13 centimètres de côté, 5 à 6 centimètres d'épaisseur ; croûte lavée, présentée à nu ou sous papier métallique.

Procédé d'affinage : à sec, en cave humide 8 semaines Lavage bihebdomadaire à l'eau salée additionnée de bière.

Teneur en matière grasse : 45 %.

Meilleure saison de consommation : de fin septembre à juin.

Critères de choix : croûte poisseuse, gris rosé. Pâte homogène jaune claire, légèrement ferme.

Vins conseillés : Hermitage, Côte-rôtie, Châteauneuf-du-Pape.

GRUYÈRE

Régions d'origine : cantons de Fribourg, Neufchâtel, Vaud, en Suisse.

Lait : de vache.

Type de pâte : pressée cuite.

Goût : fruité à très fruité, parfois salé.

Poids, dimensions, présentation : meule à talons convexes de 30 à 40 kilos ; 60 à 65 centimètres de diamètre, 11 centimètres d'épaisseur ; croûte brossée à nu avec label d'origine.

Procédé d'affinage : 6 mois en cave humide avec brossages hebdomadaires à l'eau.

Teneur en matière grasse : 45 %.

Meilleure saison de consommation : septembre à février.

Critères de choix : croûte jaunâtre peu rugueuse. Pâte jaune pâle, plutôt tendre, grasse, avec peu de petits trous.

Vins conseillés : Vins blancs fruités de Neufchâtel, fendant du Valais

LAGUIOLE-AUBRAC (ou **fourme de Laguiole**) (Appellation d'origine)

Région d'origine : Rouergue. Le lait est collecté sur le plateau de l'Aubrac, dans une zone située au-dessus de 800 mètres.

Lait : de vache.

Type de pâte : pressée non cuite.

Goût : assez relevé, saveur de terroir forte.

Poids, dimensions, présentation : gros cylindres renflés de 30 à 40 kilos ; 40 centimètres de diamètre, 35 à 40 centimètres de hauteur ; croûte naturelle brossée, à nu, sous cerclage de sécurité.

Procédé d'affinage : à sec, en cave humide, de 3 à 6 mois.

Teneur en matière grasse : 45 %.

Meilleure saison de consommation : de fin juin à mars.

Critères de choix : croûte grise et sèche ; pâte jaune pâle et grasse.

Vins conseillés : Beaujolais, Cahors, Gamay d'Auvergne.

LANGRES

Région d'origine : Champagne, en Bassigny.

Lait : de vache.

Type de pâte : molle.

Goût : assez relevé à fort, saveur de terroir.

Poids, dimensions, présentation : tronconique de 300 grammes environ ; 10 centimètres de diamètre, 4 à 5 centimètres d'épaisseur ; croûte lavée présentée sous papier à la marque.

Procédé d'affinage : en cave humide, 8 semaines, avec lavages bihebdomadaires à l'eau salée additionnée d'un peu de marc.

Teneur en matière grasse : 45 %.

Meilleure saison de consommation : de juin à fin novembre.

Critères de choix : partie supérieure légèrement concave, croûte brun brique un peu poisseuse.

Vins conseillés : Mercurey, Beaune, Échezeaux, Château-Margaux.

LARUNS

Région d'origine : Béarn.

Lait : de brebis.

Type de pâte : pressée demi-cuite à deux chauffes.

Goût : très doux et noiseté jeune, dans les premiers mois, à très prononcé et piquante vers 6 mois.

Poids, dimensions, présentation : gros pain circulaire aplati de 5 à 6 kilos ; 30 centimètres de diamètre, 9 centimètres d'épaisseur ; croûte naturelle présentée à nu.

Procédé d'affinage : en cave humide de 2 à 6 mois.

Teneur en matière grasse : 45 %.

Meilleure saison de consommation : de juin à fin novembre.

Critères de choix : croûte lisse et fine jaune pour un affinage de moins de 3 mois, plus ocrée pour un temps d'affinage plus long. Pâte plus ou moins teintée de jaune suivant le vieillissement.

Vins conseillés : vins basques d'Irouléguy, Béarnais de Madiran et tous vins rouges bien charpentés.

LIVAROT (appellation d'origine)

Région d'origine : Normandie, autour des villes de Vimoutiers (Orne) et Livarot (Calvados).

Lait : de vache.

Type de pâte : molle.

Goût : assez fort à très relevé.

Poids, dimensions, présentation : cylindre entouré de roseau de 350 à 500 grammes ; 11 à 12 centimètres de diamètre, 4 à 5 centimètres d'épaisseur ; croûte lavée, présentation à nu ou en boîte, cerclée de 5 lanières de papier.

Procédé d'affinage : en cave humide, 9 semaines.

Teneur en matière grasse : 40 %.

Meilleure saison de consommation : de juin à mi-mars.

Critères de choix : croûte rougeâtre. Pâte crémeuse homogène sans trous.

Vins conseillés : Morgon, Hermitage, Côte rôtie, Corton, voire cidre domestique ou Calvados.

MACONNAIS (ou **chèvreton de Mâcon**)

Région d'origine : Bourgogne.

Lait : de chèvre, ou mi-chèvre, ou pur vache.

Type de pâte : molle.

Goût : assez faible, légèrement noiseté.

Poids, dimensions, présentations : petit cône tronqué de 50 à 60 grammes ; 5 centimètres de diamètre à la base, 4 centimètres au sommet ; 3 à 4 centimètres de hauteur. Croûte naturelle présentée à nu.

Procédés d'affinage : à sec, en cave aérée, 3 semaines.

Meilleure saison de consommation : de fin juin à fin novembre.

Teneur en matière grasse : 40 à 45 %.

Critères de choix : mince croûte bleu clair. Pâte ferme mais non friable.

Vins conseillés : Viré, Fuissé, Chassagne, Chablis, Irancy, Tanney.

MAMIROLLE

Région d'origine : Franche-Comté.

Lait : de vache, pasteurisé.

Type de pâte : pressée, non cuite.

Goût : légèrement accentué et corsé.

Poids, dimensions, présentation : parallélépipède à section carrée de 500 à 600 grammes ; 15 centimètres de longueur, 6 à 7 centimètres de côté ; croûte lavée sous marque.

Procédé d'affinage : 8 semaines en cave humide avec lavages hebdomadaires à l'eau salée.

Teneur en matière grasse : 40 %.

Meilleure saison de consommation : toute l'année.

Critères de choix : mince croûte jaunâtre ou rougeâtre. Pâte souple.

Vins conseillés : vins blancs ou rouges légers et fruités.

MAROILLES (appellation d'origine)

Régions d'origine : Hainaut, Flandre, plus particulièrement Thiérache.

Lait : de vache.

Type de pâte : molle.

Goût : très relevé, corsé, fumet de terroir.

Poids, dimensions, présentation : pavé de 800 grammes environ ; 13 centimètres de côté, 6 centimètres d'épaisseur ; croûte lavée, présentation à nu ou en boîte.

Procédés d'affinage : en cave très humide sur des claies de rotin, 4 mois. Lavages hebdomadaires à la bière.

Teneur en matière grasse : 45 à 50 %.

Meilleure saison de consommation : fin juin à mi-mars.

Critères de choix : croûte lisse et luisante de couleur brun acajou. Pâte jaune et onctueuse.

Vins conseillés : Beaune, Châteauneuf-du-Pape, Côte Rôtie, Corton, Morey-Saint-Denis.

MIMOLETTE FRANÇAISE (ou **boule de Lille** ou **Vieux Lille**)

Région d'origine : Flandre.

Lait : de vache, pasteurisé.

Type de pâte : pressée non cuite mais réchauffée, colorée en orange.

Goût : franc et noiseté.

Poids, dimensions, présentation : boule sphérique légèrement aplatie de 3 kilos environ ; 20 centimètres de diamètre, 18 centimètres de hauteur ; croûte naturelle brossée à nu avec label de garantie.

Procédé d'affinage : 6 mois à 1 an et demi, à sec.

Teneur en matière grasse : 45 %.

Meilleure saison de consommation : toute l'année.

Critères de choix : mince croûte grise. Pâte orangée ferme et grasse avec quelques petits trous.

Vins conseillés : vins corsés, généreux, Madère, Porto, Banyuls, Rivesaltes.

MONTOIRE

Région d'origine : Vendômois.

Lait : de chèvre.

Type de pâte : molle.

Goût : plutôt fruité.

Poids, dimensions, présentation : petit tronc de cône de 100 grammes environ ; 6 à 7 centimètres à la base, 5 centimètres de hauteur ; croûte naturelle à nu.

Procédés d'affinage : 3 semaines, à sec, en cave aérée.

Teneur en matière grasse : 45 %.

Meilleure saison de consommation : de juin à décembre.

Critères de choix : mince croûte bleutée avec taches ocrées. Pâte blanche fine, plutôt ferme.

Vins conseillés : vins blancs rosés ou rouges fruités de la Loire et de la vallée du Loir.

MONTRACHET

Région d'origine : Bourgogne.

Lait : de chèvre.

Type de pâte : molle.

Goût : doux, crémeux, sans grande saveur.

Poids, dimensions, présentation : cylindre de forme haute de 90 à 100 grammes ; 5 à 6 centimètres de diamètre, 10 centimètres de hauteur ; croûte peu formée enveloppée de feuilles de châtaignier ou de vigne.

Procédé d'affinage : une semaine d'égouttage.

Teneur en matière grasse : 45 %.

Meilleure saison de consommation : de juin à décembre.

Critères de choix : pas de croûte. Surface bleutée. Pâte blanche, souple, non friable.

Vins conseillés : vins aligotés de Bourgogne ou vins rouges fruités sans lourdeur genre Passe-tout-grain, Beaujolais.

MONTSÉGUR

Région d'origine : Comté de Foix.

Lait : de vache, pasteurisé.

Type de pâte : pressée non cuite.

Goût : doux, assez faible.

Poids, dimensions, présentation : petite meule en forme de disque de 3 kilos environ ; 23 centimètres de diamètre et 8 centimètres d'épaisseur ; croûte lavée légèrement colorée, présentation à nu sous étiquette de marque.

Procédé d'affinage : en cave humide 4 semaines.

Teneur en matière grasse : 45 %.

Meilleure saison de consommation : toute l'année.

Critères de choix : croûte noirâtre. Pâte bien souple sous le doigt avec de nombreux trous irréguliers.

Vins conseillés : vins blancs, rosés, rouges légers de toute origine.

MORBIER

Région d'origine : Franche-Comté.

Lait : de vache.

Type de pâte : pressée non cuite.

Goût : assez prononcé, mais pas trop fort.

Poids, dimensions, présentation : disque épais de 6 à 8 kilos; 35 à 40 centimètres de diamètre, 7 à 9 centimètres d'épaisseur; croûte naturelle présentée à nu.

Procédé d'affinage : à sec, en cave assez humide et fraîche, 8 à 10 semaines. Brossages bihebdomadaires à l'eau nature.

Teneur en matière grasse : 45 %.

Meilleure saison de consommation : de mi-mars à mi-juin.

Critères de choix : croûte gris-rosé. Pâte souple marquée horizontalement en son centre par une raie noire.

Vins conseillés : Muscadet, Roussette, Virieu, Sancerre, Pouilly-sur-Loire, Arbois.

MOTHE-SAINT-HERAY

Région d'origine : Poitou.

Lait : de chèvre.

Type de pâte : molle.

Goût : assez corsé.

Poids, dimensions, présentation : disque plat de 225 à 250 grammes; 10 centimètres de diamètre, 2,5 à 3 centimètres d'épaisseur; croûte fleurie, présentation en boîte.

Procédé d'affinage : 15 jours en cave sèche, sur des feuilles de platane.

Teneur en matière grasse : 45 %.

Meilleure saison de consommation : de juin à décembre.

Critères de choix : croûte blanche lisse. Pâte tendre et homogène sans coulures.

Vins conseillés : vins rouges corsés du Poitou.

MUNSTER (appellation d'origine) **et Munster au Cumin**

Région d'origine : Alsace. (La fabrication est admise aujourd'hui dans les Vosges.)

Lait : de vache.

Type de pâte : molle. (Peut être aromatisée avec des graines de cumin.)

Goût : assez relevé, saveur de terroir prononcée.

Poids, dimensions, présentation : disque plat variant de 300 grammes à 1,500 kilo ; 12 à 20 centimètres de diamètre, 3 à 5 centimètres d'épaisseur ; croûte fleurie présentée à nu dans sa boîte de bois.

Procédé d'affinage : sur paille, en cave humide à température de 10 à 12°, 8 semaines avec frottages à la saumure.

Teneur en matière grasse : 45 à 50 %.

Meilleure saison de consommation : de fin juin à novembre.

Critères de choix : croûte mince jaune ocré tachetée de rouge. Pâte très souple. Odeur forte.

Vins conseillés : Pinot menier, Morgon, Corton, Côte rôtie, Médoc.

MUROL

Région d'origine : Auvergne, spécifiquement la région du Mont-Dore autour de Murol.

Lait : de vache, pasteurisé.

Type de pâte : pressée, non cuite.

Goût : plutôt doux.

Poids, dimensions, présentation : disque plat percé en son centre d'un trou de 4 centimètres de diamètre, de 450 grammes environ ; 12 centimètres de diamètre, 3,5 centimètres d'épaisseur ; croûte lavée présentée à nu.

Procédé d'affinage : en cave humide, 5 semaines.

Teneur en matière grasse : 45 %.

Meilleure saison de consommation : de fin juin à fin novembre. Croûte et pâte souples.

Critères de choix : croûte légèrement ocrée. Pâte jaune souple sous le doigt.

Vins conseillés : Chanturgue, Chinon, Bouzy, Arbin, tous vins légers et fruités.

NANTAIS (dit **fromage du curé**)

Région d'origine : Bretagne.

Lait : de vache.

Type de pâte : pressée non cuite.

Goût : assez prononcé, à fort bouquet de terroir.

Poids, dimensions, présentation : carré à angles arrondis de 180 à 200 grammes ; 9 centimètres de côté, 4 centimètres d'épaisseur ; croûte lavée présentée à nu.

Procédé d'affinage : en cave humide, 4 semaines.

Teneur en matière grasse : 40 %.

Meilleure saison de consommation : toute l'année.

Critères de choix : croûte lisse jaune clair ou ocré. Pâte souple, onctueuse.

Vins conseillés : Muscadet, Roussette, Chinon, Arbois rosé, rouge d'Amboise.

NEUFCHATEL (appellation d'origine)

Région d'origine : Pays de Bray.

Lait : de vache.

Type de pâte : molle.

Goût : assez savoureux et salé.

Poids, dimensions, présentation : formes diverses de 100 grammes environ ; dimensions variant avec les formes ; carré, briquette, bondon, cœur, à croûte fleurie, présentés à nu sur paillon ; protégé par un label d'origine.

Procédé d'affinage : en cave humide, 2 semaines.

Teneur en matière grasse : 45 %.

Meilleure saison de consommation : fabrication industrielle, à longueur d'année ; fermiers, de mi-mars à fin novembre.

Critères de choix : croûte duveteuse blanche avec petits points rouges. Pâte lisse et onctueuse, de couleur jaune.

Vins conseillés : Fleurie, Volnay, Pomerol, Hermitage.

NIOLO (ou Niolin)

Région d'origine : Corse.

Lait : de brebis.

Type de pâte : molle.

Goût : très piquant, à fort bouquet.

Poids, dimensions, présentation : carré à bords arrondis de 500 à 700 grammes ; 12 à 14 centimètres de côté, 4 à 6 centimètres d'épaisseur ; croûte naturelle présentée à nu.

Procédé d'affinage : en cave humide, macéré dans la saumure pendant 10 à 12 semaines.

Teneur en matière grasse : 45 % minimum.

Meilleure saison de consommation : de fin juin à novembre.

Critères de choix : peau lisse gris-blanc. Pâte ferme et grasse, sans fissures.

Vins conseillés : Schiaccarello, Madiran, Châteauneuf-du-Pape.

OLIVET BLEU

Région d'origine : Orléanais.

Lait : de vache.

Type de pâte : molle.

Goût : assez doux mais fruité.

Poids, dimensions, présentation : petit disque de 300 grammes environ ;
12 à 13 centimètres de diamètre, 2 centimètres d'épaisseur ; croûte
naturelle fleurie de bleu, offert à nu ou sous papier paraffiné.

Procédé d'affinage : à sec, 4 semaines en cave.

Teneur en matière grasse : 45 %.

Meilleure saison de consommation : juin à décembre.

Critères de choix : mince peau colorée de bleu. Pâte souple sous le
doigt, jaune et lisse.

Vins conseillés : Fleurie, Bourgueil, Saint-Émilion, Auxey-Duresse.

OLORON-SAINTE-MARIE

Région d'origine : Pays basque, essentiellement Bigorre.

Lait : de brebis.

Type de pâte : pressée, non cuite.

Goût : assez doux à plutôt fort selon l'âge.

Poids, dimensions, présentation : pain circulaire aplati de 4 à 5 kilos ;
croûte naturelle présentée à nu.

Procédé d'affinage : à sec, de 3 à 6 mois, avec légère humidité.

Teneur en matière grasse : 45 %.

Meilleure saison de consommation : de juin à décembre.

Critères de choix : mince croûte lisse de couleur ocrée. Pâte moelleuse
avec quelques trous.

Vins conseillés : rosé de Béarn, Jurançon, Chanturgue, Bourgueil.

PAYS D'AUGE (ou **pavé de Moyaux**)

Région d'origine : Normandie.

Lait : de vache.

Type de pâte : molle.

Goût : assez relevé, à forte saveur de terroir.

Poids dimensions, présentation : pavé à base carrée de 700 à
800 grammes ; 11 centimètres de côté, 5 à 6 centimètres d'épaisseur ;
croûte lavée ou brossée présentée à nu.

Procédé d'affinage : en cave humide, 10 à 12 semaines avec lavages
bihebdomadaires à l'eau salée.

Teneur en matière grasse : 50 %.

Meilleure saison de consommation : de fin juin à fin février.

Critères de choix : croûte jaune ocrée légèrement poisseuse. Pâte lisse, souple et crémeuse.

Vins conseillés : Bourgueil, Fleurie, Pomerol.

PÉLARDON DES CEVENNES (ou pélardon d'Altier, pélardon d'Anduze)

Région d'origine : Languedoc.

Lait : de chèvre.

Type de pâte : molle.

Goût : assez léger mais noiseté.

Poids, dimensions présentation : palet rond irrégulier de 80 à 120 grammes ; 6 à 7 centimètres de diamètre, 2,5 à 3 centimètres d'épaisseur ; croûte naturelle présentée à nu.

Procédé d'affinage : en cave aérée, 3 semaines. Parfois macéré dans du vin blanc.

Teneur en matière grasse : 45 %.

Meilleure saison de consommation : de juin à fin novembre.

Critères de choix : pâte blanche, fine et compacte, sans croûte.

Vins conseillés : Saint-Péray, Gigondas, Fleurie.

PERSILLÉ DU MONT-CENIS

Région d'origine : Savoie.

Lait : de vache et de chèvre mélangés.

Type de pâte : légèrement pressée veinée bleu.

Goût : très prononcé pouvant devenir amer.

Poids, dimensions, présentation : cylindre de 8 kilos environ ; 30 centimètres de diamètre, 15 centimètres de hauteur ; croûte naturelle à nu.

Procédé d'affinage : 5 mois, à sec, en cave humide et froide.

Teneur en matière grasse : 45 %.

Meilleure saison de consommation : de fin juin à fin novembre.

Critères de choix : croûte grise. Pâte dure, lisse et veinée de bleu.

Vins conseillés : Beaujolais-Villages, Côtes-du-Rhône-Villages, tous vins rouges charpentés avec de la sève.

PETIT LISIEUX

Région d'origine : Normandie.

Lait : de vache.

Type de pâte : molle.

Goût : assez relevé.

Poids, dimensions, présentation : cylindre aplati de 300 grammes ; 12 centimètres de diamètre, 3 centimètres d'épaisseur ; croûte lavée à nu, ficelée de lanières de roseau ou laiches.

Procédé d'affinage : 8 semaines en cave humide, à 8° environ, avec lavages hebdomadaires à l'eau.

Teneur en matière grasse : 40 à 45 %.

Meilleure saison de consommation : de juin à décembre.

Critères de choix : croûte lisse et luisante de couleur brique. Pâte jaune pâle homogène et tendre.

Vins conseillés : Hermitage, Cornas, Cahors, Châteauneuf-du-Pape, cidre brut, éventuellement Calvados.

PICODON DE DIEULEFIT

Région d'origine : Dauphiné, province du Diois.

Lait : de chèvre.

Type de pâte : molle.

Goût : assez piquant et relevé mais sans trop.

Poids, dimensions, présentation : palet rond irrégulier de 80 à 100 grammes ; 6 à 8 centimètres de diamètre, 2 à 3 centimètres d'épaisseur ; croûte naturelle présentée à nu.

Procédé d'affinage : à sec, en cave aérée, macéré dans le vin blanc, 4 semaines.

Teneur en matière grasse : 45 %.

Meilleure saison de consommation : septembre à novembre.

Critères de choix : croûte mince de couleur rousse. Pâte ferme et lisse.

Vins conseillés : Hermitage, Saint-Peray, Cornas, Meursault.

PICODON DE SAINT-AGREVE

Région d'origine : Vivarais.

Lait : de chèvre.

Type de pâte : molle.

Goût : très noiseté, avec du bouquet.

Poids, dimensions, présentation : petit palet rond de 120 à 130 grammes ; 8 à 9 centimètres de diamètre, 2 centimètres d'épaisseur ; croûte naturelle à nu.

Procédé d'affinage : 2 semaines à sec, en cave aérée.

Teneur en matière grasse : 45 %.

Meilleure saison de consommation : de fin juin à fin novembre.

Critères de choix : mince croûte jaune. Pâte ferme, sans dureté, de couleur jaune marbrée de rose.

Vins conseillés : tous vins blancs, rosés, rouges nerveux et corsés.

PIERRE-QUI-VIRE

Région d'origine : Bourgogne.

Lait : de vache.

Type de pâte : molle.

Goût : de terroir prononcé mais peu relevé.

Poids, dimensions, présentation : disque plat de 200 grammes ; 10 centimètres de diamètre, 2,5 centimètres d'épaisseur ; croûte lavée à nu sur paille.

Procédé d'affinage : en cave humide, 8 semaines avec lavages hebdomadaires à l'eau.

Teneur en matière grasse : 45 %.

Meilleure saison de consommation : de fin juin à fin novembre.

Critères de choix : croûte rougeâtre. Pâte jaune souple.

Vins conseillés : tous vins rouges nerveux et corsés de Bourgogne.

PITHIVIERS AU FOIN (ou **bondaroy au foin**)

Région d'origine : Orléanais, plus particulièrement Gâtinais.

Lait : de vache.

Type de pâte : molle.

Goût : peu prononcé, mais fumet de terroir assez bouqueté.

Poids, dimensions, présentation : disque assez mince de 300 grammes environ ; 12 centimètres de diamètre, 2,5 centimètres d'épaisseur ;

croûte naturelle, présentation à nu sous couverture de brins de foin.

Procédé d'affinage : à sec, dans le foin, 5 semaines.

Teneur en matière grasse : 40 à 45 %.

Meilleure saison de consommation : de fin juin à fin novembre.

Critères de choix : croûte grise avec brins de foin. Pâte jaune pâle, souple.

Vins conseillés : Mont-Chambord, Bourgueil, Côte-de-Nuits.

PONT-L'ÉVÊQUE (appellation d'origine)

Région d'origine : Pays d'Auge, plus spécialement la région de Pont-l'Évêque.

Lait : de vache.

Type de pâte : molle.

Goût : assez relevé, à saveur du terroir.

Poids, dimensions, présentation : petit parallélépipède à base carrée de 350 à 400 grammes ; 10 centimètres de côté, 3 centimètres d'épaisseur ; croûte brossée et lavée, présenté à nu ou en boîte.

Procédé d'affinage : 6 semaines en cave humide.

Teneur en matière grasse : 50 %.

Meilleure saison de consommation : fin juin à mi-mars.

Critères de choix : croûte rougeâtre et lisse. Pâte souple, lisse et onctueuse. Odeur assez forte.

Vins conseillés : Bourgueil, Bouzy, Fleurie, Pomerol, Volnay.

POULIGNY-SAINT-PIERRE (appellation d'origine)

Région d'origine : Berry.

Lait : de chèvre.

Type de pâte : molle.

Goût : assez relevé à bouquet de terroir.

Poids, dimensions, présentation : pyramide de 200 à 250 grammes ; 7 à 8 centimètres de côté, 8 à 9 centimètres de hauteur ; croûte naturelle présentée à nu.

Procédé d'affinage : à sec, 4 semaines, en cave aérée.

Teneur en matière grasse : 45 %.

Meilleure saison de consommation : de juin à mi-septembre.

Critères de choix : mince croûte légèrement bleutée. Pâte lisse, assez souple.

Vins conseillés : Chinon, Mercurey, Santenay, Crépy, Mondeuse.

POURLY

Région d'origine : Bourgogne.

Lait : de chèvre.

Type de pâte : molle.

Goût : noiseté léger.

Poids, dimensions, présentation : cylindre à surfaces bombées de 300 grammes environ ; 10 centimètres de diamètre, 6 centimètres de hauteur ; croûte naturelle à nu.

Procédé d'affinage : 4 semaines, à sec, en cave aérée.

Teneur en matière grasse : 45 %.

Meilleure saison de consommation : de juin à décembre.

Critères de choix : mince croûte bleutée. Pâte lisse, plutôt souple.

Vins conseillés : Chablis blancs bouquetés, aligotés de Bourgogne.

PUANT-MACERE

Région d'origine : Flandre, en Thiérache.

Lait : de vache.

Type de pâte : molle (maroilles à l'origine).

Goût : très relevé à très fort.

Poids, dimensions, présentation : pavé de 800 grammes environ ; 13 centimètres de côté, 6 centimètres d'épaisseur ; croûte lavée présentée à nu ou en boîte.

Procédé d'affinage : macéré dans la saumure et lavé à la bière.

Teneur en matière grasse : 45 à 50 %.

Meilleure saison de consommation : de fin juin à mi-mars.

Critères de choix : croûte rougeâtre. Pâte molle. Odeur très forte.

Vins conseillés : Moulin-à-Vent, Juliénas, Chambertin, Saint-Estèphe.

PYRAMIDE

Régions d'origine : Anjou, Charentes, Poitou, Touraine.

Lait : de chèvre.

Type de pâte : molle.

Goût : assez doux, légèrement saponifié.

Poids, dimensions, présentation : pyramide tronquée courte de 250 à 300 grammes ; 8 centimètres de côté, 6 à 7 centimètres de hauteur ; croûte fleurie présentée sous emballage.

Procédé d'affinage : 3 semaines en hâloir.

Teneur en matière grasse : 45 %.

Meilleure saison de consommation : toute l'année.

Critères de choix : croûte blanche, duveteuse. Pâte assez ferme.

Vins conseillés : Reuilly, Chinon, Bourgueil.

REBLOCHON (appellation d'origine)

Région d'origine : Savoie, massif des Aravis.

Lait : de vache.

Type de pâte : molle un peu pressée.

Goût : très doux et crémeux.

Poids, dimensions, présentation : disque aplati de 500 grammes, 13 centimètres de diamètre, 2,5 centimètres d'épaisseur ; croûte lavée présentée sur feuille de bois circulaire.

Procédé d'affinage : en cave froide et humide, 4 semaines.

Teneur en matière grasse : 50 %.

Meilleure saison de consommation : de fin juin à fin novembre.

Critères de choix : croûte lisse jaune rosé. Pâte onctueuse, très souple sous le doigt.

Vins conseillés : Montmélian, Crépy, Seyssel, Apremont.

ROCAMADOUR (ou **cabécou de Rocamadour**)

Région d'origine : Aquitaine.

Lait : de brebis ou de chèvre.

Type de pâte : molle.

Goût : légèrement noiseté pour le fromage de brebis, très noiseté pour le fromage de chèvre.

Poids, dimensions, présentation : petit disque mince de 30 grammes ; 4 centimètres de diamètre, 1/2 centimètre d'épaisseur : croûte naturelle à nu.

Procédé d'affinage : à sec, 1 semaine.

Teneur en matière grasse : 45 %.

Meilleure saison de consommation : mi-mars à mi-juin pour les fromages de brebis ; mi-juin à fin novembre pour les fromages de chèvre.

Critères de choix : très mince croûte bleutée parfois teintée de rose. Pâte assez tendre.

Vins conseillés : Cahors, Gigondas, Brouilly, Pupillin.

ROCROI (ou **rocroi cendré des Ardennes**)

Régions d'origine : Champagne, Ardennes.

Lait : de vache, écrémé.

Type de pâte : molle.

Goût : très fruité à saponifié.

Poids, dimensions, présentation : disque plat ou plaquette à base carrée de 350 à 400 grammes ; 12 centimètres de diamètre et 3 centimètres d'épaisseur ou 12 centimètres de côté sur 3 centimètres d'épaisseur ; croûte naturelle cendrée à nu.

Procédé d'affinage : 5 semaines, à sec, en cave humide, dans de la cendre de bois.

Teneur en matière grasse : 20 à 30 %.

Meilleure saison de consommation : de fin juin à fin novembre.

Critères de choix : enrobage régulier de cendre gris-noir. Pâte blanche plutôt souple.

Vins conseillés : Mercurey, Médoc, Bourgueil.

ROLLOT

Région d'origine : Picardie, arrondissement de Montdidier.

Lait : de vache.

Type de pâte : molle.

Goût : assez relevé, à forte saveur de terroir.

Poids, dimensions, présentation : petit cylindre plat de 200 à 300 grammes ; 7 à 8 centimètres de diamètre, 3,5 à 4 centimètres d'épaisseur ; croûte lavée à nu (parfois en forme de cœur).

Procédé d'affinage : en cave humide, 8 semaines avec lavages bihebdomadaires à la bière.

Teneur en matière grasse : 45 %.

Meilleure saison de consommation : de juin à novembre.

Critères de choix : croûte lisse et brillante, de couleur légèrement ocrée. Pâte souple.

Vins conseillés : Savigny, Saint-Émilion, Cornas, Hermitage.

ROMANS (ou **tomme de Romans**)

Région d'origine : Dauphiné.

Lait : de vache.

Type de pâte : molle.

Goût : Très légèrement acidulé, assez doux, noiseté.

Poids, dimensions, présentation : disque plat de 250 grammes environ : 11 centimètres de diamètre ; 2,5 centimètres d'épaisseur ; croûte naturelle à nu, présentation sur paille.

Procédé d'affinage : en cave sèche et aérée, 3 semaines environ.

Teneur en matière grasse : 50 %.

Meilleure saison de consommation : de fin juin à fin novembre.

Critères de choix : mince croûte gris bleuté. Pâte demi-ferme.

Vins conseillés : Mondeuse rosé, Condrieu, Chinon, Côtes-du-Rhône.

ROQUEFORT (appellation d'origine)

Région d'origine : Aquitaine, province du Rouergue.

Lait : de brebis.

Type de pâte : molle, persillée.

Goût : très prononcé, caractéristique du lait de brebis, parfois fort à très fort.

Poids, dimensions, présentation : haut cylindre de 2,500 kilos environ ; 18 centimètres de diamètre, 9 à 10 centimètres d'épaisseur ; croûte naturelle, présentation sous papier métallique.

Procédé d'affinage : 3 mois dans des grottes naturelles du village de Roquefort (Aveyron), où règne une température moyenne de 10°.

Teneur en matière grasse : 45 %.

Meilleure saison de consommation : de mars à novembre.

Critères de choix : croûte sans moisissures portant les traces de trous d'aiguilles qui favorisent le persillage intérieur. Pâte légèrement jaune, grasse, persillée dans la masse.

Vins conseillés : Châteauneuf-du-Pape, Chambertin, Provence rouge, Haut-Brion.

SAINT-FLORENTIN

Région d'origine : Bourgogne.

Lait : de vache.

Type de pâte : molle.

Goût : relevé, à saveur de terroir très prononcée.

Poids, dimensions, présentation : disque plat de 450 grammes à 500 grammes ; 12 à 13 centimètres de diamètre, 3 centimètres d'épaisseur ; croûte lavée à nu.

Procédé d'affinage : en cave humide, 8 semaines ; lavages bihebdomadaires à l'eau légèrement salée.

Teneur en matière grasse : 45 %.

Meilleure saison de consommation : de fin juin à fin décembre.

Critères de choix : croûte de couleur brun rougeâtre, brillante et lisse. Pâte souple et homogène.

Vins conseillés : Morgon, Corton, Chambolle-Musigny, Morey.

SAINT-GILDAS-DES-BOIS

Région d'origine : Bretagne.

Lait : de vache, pasteurisé, enrichi.

Type de pâte : molle triple crème.

Goût : doux et crémeux.

Poids, dimensions, présentation : cylindre assez haut de 200 grammes ; 8 centimètres de diamètre, 4 centimètres de haut ; croûte fleurie en boîte.

Procédé d'affinage : 2 semaines en cave sèche.

Teneur en matière grasse : 75 %.

Meilleure saison de consommation : toute l'année.

Critères de choix : croûte duveteuse blanche. Pâte homogène tendre et crémeuse.

Vins conseillés : Beaujolais.

SAINT-GORLON

Région d'origine : France.

Lait : de vache.

Type de pâte : molle à moisissures internes bleues.

Goût : assez savoureux, relativement doux à piquant.

Poids, dimensions, présentation : cylindre de 6 à 12 kilos ; 25 à 30 centimètres de diamètre, 16 à 20 centimètres de hauteur, croûte naturelle lavée et raclée sous papier métallique à la marque.

Procédé d'affinage : à sec en cave humide et froide.

Teneur en matière grasse : 48 %.

Meilleure saison de consommation : toute l'année.

Critères de choix : croûte de couleur gris rougeâtre, peu rugueuse. Pâte tendre à veinures bien réparties dans la masse.

Vins conseillés : Juliénas, Fleurie, Chassagne, Savigny.

SAINT-MARCELLIN (ou **tomme de SAINT-Marcellin**)

Région d'origine : Isère.

Lait : de vache.

Type de pâte : molle.

Goût : peu prononcé, assez doux, légèrement acide.

Poids, dimensions, présentation : petit disque de 80 à 90 grammes ; 7 à 8 centimètres de diamètre, 2 centimètres d'épaisseur ; croûte naturelle sous revêtement de papier ou sur paille.

Procédé d'affinage : en cave humide 2 semaines puis 2 semaines en hâloir.

Teneur en matière grasse : 50 %.

Meilleure saison de consommation : toute l'année.

Critères de choix : Mince croûte gris bleuté. Pâte souple sous le doigt et homogène.

Vins conseillés : Mondeuse rosé, Condrieu, Mont-July, Bourgueil, Marsannay, Haut-Médoc.

SAINTE-MAURE FERMIER

Région d'origine : Touraine.

Lait : de chèvre.

Type de pâte : molle.

Goût : très développé, assez doux mais avec du bouquet.

Poids, dimensions, présentation : cylindre allongé traversé d'une paille, de 300 grammes environ ; 15 centimètres de long, 4 centimètres de diamètre ; croûte naturelle à nu (sous papier de marque pour le Sainte-Maure laitier de fabrication industrielle).

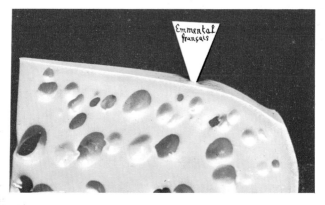

Procédé d'affinage : en cave sèche, 4 semaines.

Teneur en matière grasse : 45 %.

Meilleure saison de consommation : de juin à novembre.

Critères de choix : croûte fine légèrement bleutée avec de petites plaques rouges.

Vins conseillés : Chinon, Coteaux de Touraine, Bourgueil, Beaujolais, Muscadet.

SAINT-NECTAIRE (appellation d'origíne)

Région d'origine : Auvergne, au sud-ouest du Puy-de-Dôme et au nord du Cantal, dans les massifs du mont Dore et du Cézallier.

Lait : de vache.

Type de pâte : pressée non cuite.

Goût : de terroir léger, bouquet relevé assez doux.

Poids, dimensions, présentation : disque plat de 1,700 kilo ; 20 centimètres de diamètre, 4 centimètres d'épaisseur ; croûte naturelle à nu sous étiquette de marque.

Procédé d'affinage : mûrissage sur lit de paille de seigle pendant 2 mois. Lavages bihebdomadaires à l'eau légèrement salée avec retournages.

Teneur en matière grasse : 45 %.

Meilleure saison de consommation : de fin juin à fin novembre.

Critères de choix : croûte à moisissures jaunes et rougeâtres. Pâte souple. (Avec une marque ovale, fermier ; avec une marque carrée, laitier.)

Vins conseillés : Chanturgue, Chinon, Arbin, Bouzy, Fleurie, Gamay d'Auvergne.

SAINT-PAULIN

Région d'origine : France.

Lait : de vache, pasteurisé.

Type de pâte : pressée non cuite.

Goût : plutôt doux.

Poids, dimensions, présentation : disque épais de 2 kilos environ ; 20 à 22 centimètres de diamètre, 4 à 5 centimètres d'épaisseur ; croûte lavée à nu sous étiquette de marque.

Procédé d'affinage : en cave humide et fraîche, 8 semaines.

Teneur en matière grasse : 45 à 50 %.

Meilleure saison de consommation : toute l'année.

Critères de choix : croûte lisse, sans taches. Pâte lisse et moelleuse de couleur jaune ocrée.

Vins conseillés : Beaujolais, Cabernet d'Anjou.

SANTRANGES-SANCERRE

Région d'origine : Berry.

Lait : de chèvre.

Type de pâte : molle.

Goût : de terroir très prononcé.

Poids, dimensions, présentation : boulette aplatie de 150 à 180 grammes ; 6 centimètres de diamètre, 4 centimètres d'épaisseur.

Procédé d'affinage : 1 mois, à sec, en cave aérée.

Teneur en matière grasse : 45 %.

Meilleure saison de consommation : de juin à décembre.

Critères de choix : Mince croûte légèrement bleutée. Pâte blanche et ferme.

Vins conseillés : Sauvignon, pinots blancs et gris locaux.

SELLES-SUR-CHER (appellation d'origine)

Régions d'origine : Orléanais, Berry, Sologne.

Lait : de chèvre.

Type de pâte : molle.

Goût : plutôt doux mais noiseté.

Poids, dimensions, présentation : tronc de cône aplati de 120 à 150 grammes ; 8 centimètres de diamètre à la base, 2,5 centimètres d'épaisseur ; croûte naturelle bleuie à la cendre de charbon de bois. Présentation à nu.

Procédé d'affinage : à sec, 3 semaines, en cave aérée.

Teneur en matière grasse : 45 %.

Meilleure saison de consommation : de juin à fin novembre.

Critères de choix : croûte, ou plus précisément peau, bleu sombre. Pâte très blanche, fine et ferme.

Vins conseillés : Rosés de Touraine, Bourgueil, Bouzy, Chavignol.

SORBAIS (appellation d'origine)

Régions d'origine : Flandre, Hainaut.

Lait : de vache.

Type de pâte : molle.

Goût : de terroir très prononcé, assez fort.

Poids, dimensions, présentation : pavé de 600 grammes environ ; 12 centimètres de côté, 4,5 centimètres d'épaisseur ; croûte lavée à nu ou en boîte.

Procédé d'affinage : en cave humide, 3 mois.

Teneur en matière grasse : 45 à 50 %.

Meilleure saison de consommation : de juin à fin novembre.

Critères de choix : croûte lisse et luisante de couleur brun-brique. Pâte souple et grasse de teinte crème. Odeur assez forte.

Vins conseillés : Gevrey-Chambertin.

TAMIÉ (ou **trappiste de Tamié**)

Région d'origine : Savoie.

Lait : de vache.

Type de pâte : pressée non cuite.

Goût : de lait assez prononcé.

Poids, dimensions, présentation : disque épais de 1,200 kilo environ ; 18 centimètres de diamètre, 4 à 5 centimètres d'épaisseur ; croûte lavée à nu ou sous papier. Il existe également un petit Tamié de 500 g.

Procédé d'affinage : en cave humide, 8 semaines, avec lavages bihebdomadaires à l'eau légèrement salée.

Teneur en matière grasse : de 40 à 45 %.

Meilleure saison de consommation : de mi-juin à fin novembre.

Critères de choix : croûte lisse, jaune très clair. Pâte souple et homogène.

Vins conseillés : Montmélian rosé, Roussette, Arbin.

TOMME DE SAVOIE

Région d'origine : Savoie.

Lait : de vache.

Type de pâte : pressée, non cuite.

Goût : jeu prononcé, assez doux, noiseté.

Poids, dimensions, présentation : cylindre plus ou moins plat de 1,800 kilo à 3,500 kilos ; 20 centimètres de diamètre, 6 à 12 centimètres de hauteur ; croûte naturelle à nu.

Procédé d'affinage : en cave chaude, à 7 ou 8°, 4 semaines puis en cave froide et humide, à sec, 4 autres semaines.

Teneur en matière grasse : 20 à 40 %.

Meilleure saison de consommation : de juin à fin novembre.

Critères de choix : croûte grise sans gerçures, marquée de taches rouges et jaunes. Pâte souple et homogène de couleur jaunâtre.

Vins conseillés : vins de Savoie légers et fruités, vins nerveux : Mondeuse, les Abymes.

TOMME DU VERCORS

Région d'origine : Dauphiné.

Lait : de chèvre.

Type de pâte : molle.

Goût : peu relevé, noiseté.

Poids, dimensions, présentation : petit disque de 100 grammes ; 8 centimètres de diamètre, 2 centimètres d'épaisseur ; croûte naturelle à nu.

Procédé d'affinage : 3 semaines à sec en cave aérée.

Teneur en matière grasse : 45 %.

Meilleure saison de consommation : de juin à décembre.

Critères de choix : mince peau bleutée. Pâte ferme.

Vins conseillés : Côtes-du-Rhône léger.

VACHARD

Région d'origine : Auvergne.

Lait : de vache.

Type de pâte : pressée non cuite.

Goût : de terroir prononcé et relevé.

Poids, dimensions, présentation : disque plat de 1,500 kilo ; 20 centimètres de diamètre, 4 centimètres d'épaisseur ; croûte naturelle à nu.

Procédé d'affinage : 8 semaines à sec, en cave humide.

Teneur en matière grasse : 45 %.

Meilleure saison de consommation : de fin juin à fin novembre.

Critères de choix : croûte grise sans moisissures. Pâte assez souple.

Vins conseillés : Côtes d'Auvergne, Côtes roannaises, Beaujolais.

VACHERIN

Région d'origine : Savoie, dans le Chablais.

Lait : de vache.

Type de pâte : molle.

Goût : doux à légère saveur de pin.

Poids, dimensions, présentation : galette épaisse de 1,5 à 2 kilos environ ; 25 centimètres de diamètre, 4 centimètres d'épaisseur ; croûte lavée cerclée dans une lanière d'épicéa, adhérant au fond de la boîte où il est serti.

Procédé d'affinage : en cave froide et humide 3 mois. Lavages hebdomadaires au vin blanc.

Teneur en matière grasse : 45 %.

Meilleure saison de consommation : de décembre à mi-mars.

Critères de choix : croûte lisse rose ocré. Pâte tendre, très crémeuse.

Vins conseillés : Abymes de Mians, Pinot menier d'Alsace.

VACHERIN MONT-D'OR

Région d'origine : Franche-Comté.

Lait : de vache.

Type de pâte : molle.

Goût : doux, crémeux, légèrement balsamique.

Poids, dimensions, présentation : cylindre plat de 1,500 kilo à 3,500 kilos ; 20 à 30 centimètres de diamètre, 3 à 5 centimètres d'épaisseur ; croûte lavée, cerclée d'une lanière de résineux, insérée dans une boîte à laquelle elle adhère par le fond.

Procédé d'affinage : 3 mois en cave humide et froide avec lavages bihebdomadaires à l'eau salée.

Teneur en matière grasse : 45 %.

Meilleure saison de consommation : de septembre à mars.

Critères de choix : croûte lisse et rosée. Pâte souple, tendre et crémeuse.

Vins conseillés : Crépy, Roussette, Montmélian, Chautagne, Beaujolais.

VALENÇAY

Région d'origine : Berry.

Lait : de chèvre.

Type de pâte : molle.

Goût : assez doux et noiseté.

Poids, dimensions, présentation : pyramide tronquée de 250 à 300 grammes environ ; 8 centimètres de côté à la base, 6 à 7 centimètres de hauteur ; croûte naturelle pulvérisée finement de charbon de bois, présenté à nu.

Procédé d'affinage : en hâloir, 4 semaines.

Teneur en matière grasse : 45 %.

Meilleure saison de consommation : de mai à fin novembre.

Critères de choix : croûte bleu marin et sèche.

Vins conseillés : Sancerre, Chavignol, Revilly.

VENDOME CENDRÉ

Région d'origine : Orléanais.

Lait : de vache.

Type de pâte : molle.

Goût : très fruité, à peine relevé, légèrement saponifié.

Poids, dimensions, présentation : petit disque irrégulier de 220 grammes environ ; 11 centimètres de diamètre, 3,5 centimètres d'épaisseur ; croûte naturelle cendrée à nu.

Procédé d'affinage : à sec, en cave humide, 4 semaines.

Teneur en matière grasse : 50 %.

Meilleure saison de consommation : de mi-juin à mi-mars.

Critères de choix : croûte cendrée noirâtre. Pâte ferme mais pas dure.

Vins conseillés : Fleurie, Morgon, Corbon, Pauillac.

IV. — LA PLACE DU FROMAGE DANS VOTRE ALIMENTATION

Pourquoi se limiter à ne donner au fromage que sa place traditionnelle, à la fin du repas?

Essayez, par exemple, au petit déjeuner, ce repas défavorisé que trop de Français négligent. Les diététiciens sont formels : il doit être riche et nourrissant. Alors pourquoi ne pas adopter l'habitude hollandaise de servir avec le café du matin du Gruyère ou du Hollande coupé en très minces lamelles, délicieuses avec du pain beurré? A l'heure de l'apéritif, fromages en cubes et sur canapés seront toujours appréciés. Pensez-y aussi pour le goûter des enfants, le casse-croûte du travailleur.

Au menu du dîner, servi avec une salade, il peut remplacer un plat. N'oublions pas non plus son rôle dans la cuisine, sous des formes diverses, notamment râpé. Il enrichit le mets auquel il est ajouté (purées, pâtes, riz, potages, sauces.)

Mais revenons aux deux circonstances où le fromage occupe sa place d'honneur : à la fin du repas — ce sont les plateaux de fromages — et dans la formule buffet-fromages.

LES PLATEAUX DE FROMAGES

Comment sélectionner les fromages qui figureront sur votre plateau? A mon avis, il n'y a pas, à proprement parler, de « règle » absolue en ce domaine. Si vous connaissez bien vos convives, laissez-vous guider par leurs goûts. C'est le plus sûr moyen de leur faire plaisir. Sinon, adoptez la seule règle possible, celle du bon sens, qui consiste à réunir un assortiment de fromages suffisamment variés pour que chacun y trouve son bonheur, y compris les véritables amateurs pour lesquels une certaine diversité est indispensable.

Un plateau de fromages simple doit comporter au minimum 5 sortes de fromages. Plus riche : 8 à 12 sortes.

Avant toute chose, présentez la « spécialité » du pays s'il y en a une. Ensuite, choisissez un ou plusieurs échantillons des grandes variétés :
— un fromage à pâte molle, croûte fleurie comme le Camembert, le Coulommiers, le Carré de l'Est, le Brie, etc.,
— un fromage à pâte molle, croûte lavée comme le Pont-l'Évêque, le Reblochon, le Munster, le Maroilles, etc.,
— un fromage à pâte pressée comme le Cantal, le Saint-Paulin, le Saint-Nectaire, etc.,
— un fromage de chèvre comme le Sainte-Maure, le crottin de Chavignol, le Chabichou, etc.,
— un fromage à pâte persillée comme le Roquefort (brebis) ou le bleu d'Auvergne (vache), le Saint-Gorlon, etc.,
— un fromage à pâte dure (pressée cuite) comme le Gruyère, l'Emmenthal, le Comté, le Beaufort, etc.,

— un fromage à pâte fraîche comme un double crème ou des petits suisses, un fromage blanc, etc.

Mais bien entendu, comme je vous l'ai déjà dit, vous tiendrez compte, dans votre sélection, de la saison, car, vous ne l'ignorez pas, certains fromages sont saisonniers, et un grand nombre bien meilleurs à une période déterminée même si vous les trouvez en vente tout au long de l'année.

Faut-il servir du beurre avec les fromages ?

Les avis sont partagés et bien des spécialistes refusent de se prononcer. Pour ma part, je pense qu'un fromage fait à point n'a pas besoin d'être accompagné de beurre. En revanche, un fromage qui a un peu « vieilli », qui a pris une saveur forte peut être adouci si on le consomme avec du beurre. Mais des goûts et des couleurs... Alors, quelles que soient vos habitudes familiales, quand vous recevez des amis, mettez un beurrier sur la table *:* ce ne sera pas un crime de lèse-gastronomie.

Enfin, si vous voulez raffiner, servez en même temps que les fromages des graines de cumin, des noix, des amandes, des noisettes, de la moutarde que certains, aussi, apprécient avec les gruyères, et tout un assortiment de pains, noir, blanc, bis, grillé, etc.

LE BUFFET-FROMAGES

Pour recevoir des amis, en été comme en hiver, dans votre appartement comme dans votre jardin ou sur une terrasse, la formule buffet-fromages est assurée de connaître un vif succès. Et pour la maîtresse de maison elle présente de multiples avantages *:* préparation simplifiée, prix de revient avantageux, utilisation de très peu de vaisselle.

Les fromages seront disposés dans un ordre précis, celui de la dégustation, car il y a dans ce domaine des règles gastronomiques : on commence par les saveurs les plus douces pour terminer par les plus fortes : d'abord les pâtes fraîches, les chèvres, les pâtes dures, cuites, molles, ensuite les croûtes lavées et enfin les pâtes persillées.

N'oubliez surtout pas de les étiqueter. Un bristol enfilé sur un bâtonnet fendu à une extrémité et piqué dans le fromage fera une étiquette parfaite. Votre fromager peut aussi vous fournir des étiquettes.

Outre les fromages, vous offrirez des crudités : branches de céleris, bâtonnets de carottes crues, rondelles de poivrons, radis, bouquets de chou-fleur cru, petites tomates à croquer entières et aussi — car ces fruits font bon ménage avec les pâtes pressées — des cubes d'ananas et des quartiers de pommes. Dans certains cas, j'aime à faire figurer sur ces buffets-fromages quelques charcuteries de bonne provenance — saucissons surtout.

J'attache une importance toute particulière au choix du pain ; je m'efforce d'en offrir une grande variété : larges tranches de pain de campagne, de seigle, petits pains ronds de gruau, pains aux raisins ou au cumin et même pumpernikel, ce pain noir aux pruneaux qui s'accorde heureusement avec les Hollande. Il en faut environ 200 grammes par convive. Je déconseille les biscottes et les crackers.

V. — COMMENT CONSERVER LES FROMAGES

Si vous avez un réfrigérateur, mettez-les dans le bac à légumes, c'est-à-dire l'endroit le moins froid. Enveloppez chaque fromage séparément dans un papier d'aluminium ménager ou dans un sachet de matière plastique. Si le fromage est entamé, recouvrez la partie exposée à l'air d'un morceau de papier d'aluminium. Pour éviter que les fromages à pâte molle entamés ne coulent, vous rangerez leur boîte verticalement ou bien vous arrêterez la pâte avec deux planchettes de bois.

Sortez les fromages du réfrigérateur trois quarts d'heure environ avant de les consommer.

Si vous n'avez pas de réfrigérateur, gardez vos fromages dans une cave ou un endroit frais, sombre et aéré. Pour éviter la dessication, recouvrez-les d'un linge humide.

Par fortes chaleurs, limitez vos achats de fromages aux pâtes pressées, fondues et fraîches. Les pâtes molles et persillées résistent mal à la canicule.

VI. — LA VALEUR ALIMENTAIRE DU FROMAGE

S'il ne consomme pas assez de lait, le Français est, en revanche, un grand amateur de fromages (sa consommation moyenne annuelle dépasse 12 kilos contre 8 kilos pour le Suédois ou le Hollandais et 5 kilos environ pour l'Anglais). Sur le plan nutritionnel le fromage apporte des éléments indispensables à l'organisme : protéines, phosphore, vitamines, calcium. La composition varie suivant la nature du fromage. Reportons-nous aux tables de composition des aliments établies par l'Institut national de la santé et de la recherche médicale.

	Calories pour 100 grammes	Protéines en grammes	Lipides en grammes	Calcium en milligrammes	Vitamines
Fromage à pâte molle (type camembert)	283	18,3	23,4	631	A et B
Fromage à pâte ferme (type gruyère, port-salut)	368	24,2	29,3	906	A et B
Fromage au lait écrémé blanc, mou	101	19,2	0,8	82	A et B
Petit suisse	367	7,1	36,9	298	A et B
Yaourt	55	3,5	3,9	120	A et B

Achevé d'imprimer sur les presses de l'imprimerie Du Bélier
à Maisons-Alfort le 1er trimestre 1979
Dépôt légal : 1er trimestre 1979 - numéro d'éditeur : 656 - ISBN 2.263.00273.1